Diário de Aventuras da Ellie

Uma Viagem Fora de Série

Diário de Aventuras da ELLIE

Uma Viagem Fora de Série

ESCRITO E ILUSTRADO POR
Ruth McNally Barshaw

Ciranda Cultural

Dedicado para aqueles que
dão vida à imaginação.

Dados Internacionais de Catalogação na Publicação (CIP)
(Câmara Brasileira do Livro, SP, Brasil)

Barshaw, Ruth McNally
Diário de aventuras da Ellie : uma viagem fora de série / escrito e ilustrado por Ruth McNally Barshaw ; [tradução Ciranda Cultural]. -- São Paulo : Ciranda Cultural, 2014.

Título original: The Ellie McDoodle diaries : have pen, will travel

ISBN 978-85-380-5528-0

1. Contos - Literatura juvenil I. Título.

13-12106 CDD-028.5

Índices para catálogo sistemático:
1. Contos : Literatura juvenil 028.5

Publicado pela primeira vez nos Estados Unidos
em maio de 2007 por Bloomsbury Children's Books.

Design de capa: Yelena Safronova

1ª Edição em 2014
8ª Impressão em 2021
www.cirandacultural.com.br

CUIDADO:

Este diário ilustrado de espionagem pertence a mim,

Ellie* Rabisco**.

QUEM LER ESTE DIÁRIO SOFRERÁ COM MUITAS PRAGAS E DOENÇAS!

——— Sem dó nem piedade ———

* Eleonor. O que dizer? Meus pais têm um péssimo gosto para nomes femininos. Nomes feios deveriam ser ilegais!

** Meu sobrenome é Rabisco mesmo. Uma grande coincidência, porque eu adoro desenhar.

Primeiro dia ← Peraí, que sem noção!

O primeiro dia foi há 100 milhões de anos, no início dos tempos, e significaria que nada tinha acontecido antes... mas aconteceu MUITA COISA.

Eu costumava ser ASSIM.

Detalhe: felicidade extrema

Estes são meus pais correndo para o aeroporto, porque o Peter, tio do meu pai, morreu.

Minha família:

Meu pai e minha mãe estavam tristes, mas também felizes. Pelo menos, iam viajar e visitar velhos amigos.

Lisa, de 17 anos, e Josh, de 14 anos, estavam felizes porque iam ficar em casa sozinhos. Ben-Ben, de 3 anos, estava sorrindo porque ele só sabia fazer isso.

E por que eu estava triste?

No caminho para o aeroporto, meus pais deixaram Ben-Ben e eu na casa dos nossos primos.
Uma porcaria, por três motivos:

1. Todos os meus primos são um pé no saco.

Diana, 11 anos

Eric, irmão gêmeo dela

Cristal, 7 anos

Eu não SUPORTO o Eric, não MESMO.

2.
A tia Maga e o tio Ed também são um saco.

Ela sempre cospe quando grita.

O pescoço dele fica vermelho quando ele fica bravo.

3. O Ben-Ben é um macaquinho.

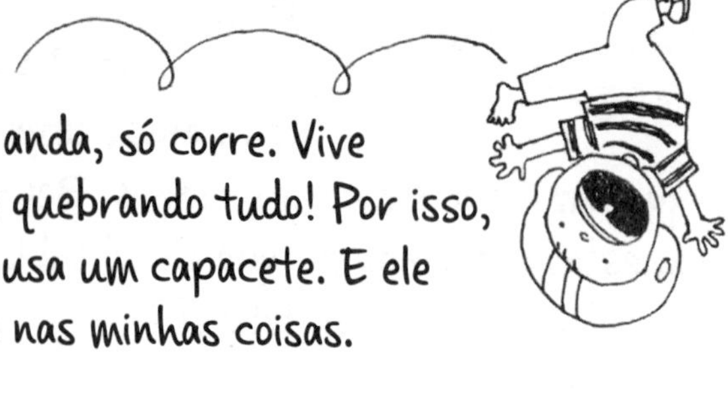

Ele não anda, só corre. Vive escalando e quebrando tudo! Por isso, ele sempre usa um capacete. E ele fuça direto nas minhas coisas.

E como se isso já não fosse o bastante, a gente ia para um acampamento. Com todos eles, ia ser um acampa-tormento, isso sim.

Meus pais disseram que ia ser legal. É óbvio que estavam delirando.

Enfim, lá estava eu, presa em um projétil de aço, lançado violentamente pela estrada rumo ao Grande Desconhecido, com um bando de mandachuvas e pirralhos metidos. O Eric começou a brigar com a Diana e a Cristal. Então, a tia Maga me obrigou a sentar do lado dele.

Seria melhor ter ido no porta-malas.

Nossa van

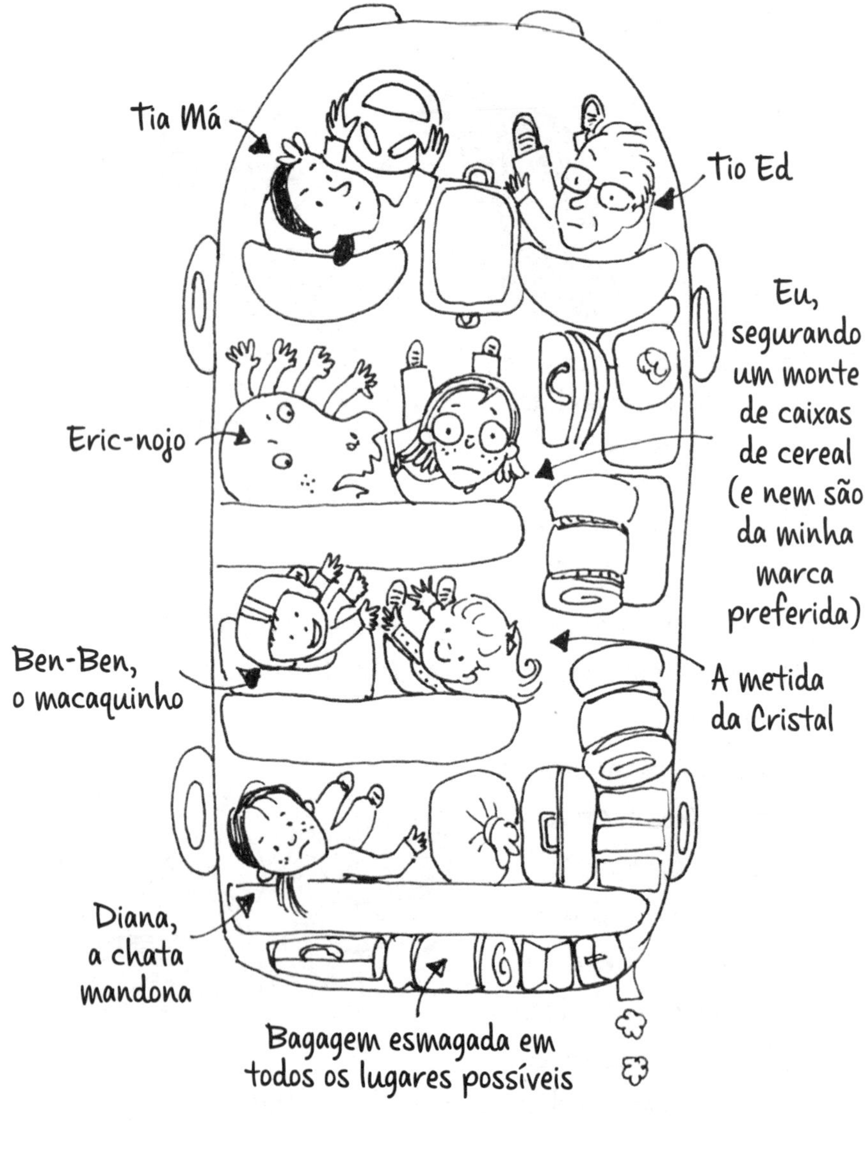
Tia Má
Tio Ed
Eu, segurando um monte de caixas de cereal (e nem são da minha marca preferida)
Eric-nojo
Ben-Ben, o macaquinho
A metida da Cristal
Diana, a chata mandona
Bagagem esmagada em todos os lugares possíveis

Por que eu tenho este diário ilustrado

1. Para espionar. Não, para OBSERVAR as coisas. Só quero observar a vida ao meu redor. Como na aula de Ciências!
2. Para lembrar de coisas importantes.
3. Para provar que tenho uma família de malucos.
4. É o único jeito de manter minha sanidade.

Minha vista da janela mais próxima:

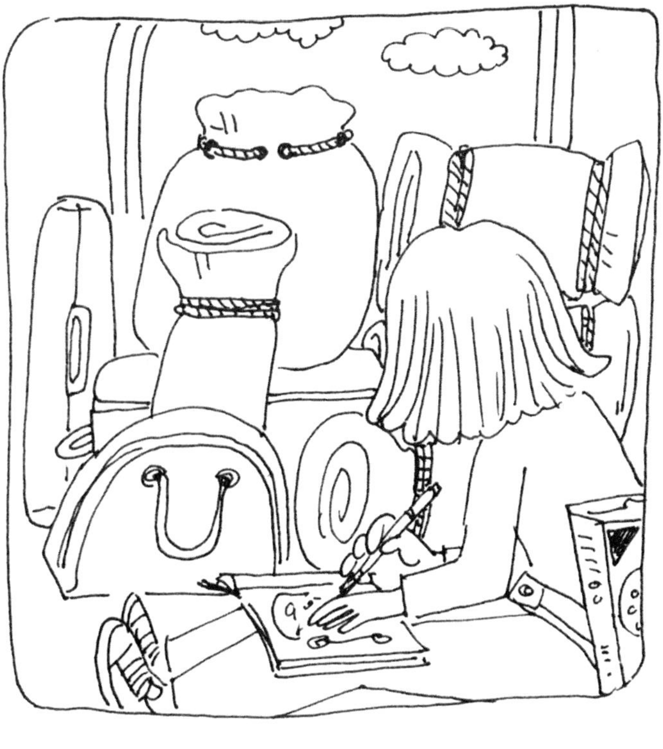

A história da tia Má

Ela está sempre de mau humor e, até hoje, a ciência não descobriu o PORQUÊ. O nome dela é Maga, não Má. E eu JAMAIS a chamaria de tia Má na frente dela.

Quando ela nasceu, minha mãe não conseguia dizer Margarete, então ela chamou minha tia de Maga e o apelido pegou.

Eu odiaria se minha irmã escolhesse meu nome. As ideias dela são piores que as da minha mãe.

Tia Maga

bebê

criança

adolescente

noiva

Acho que ela até sorriu uma vez, mas as pessoas ficaram tão chocadas que esqueceram de tirar foto.

Estudo de Personalidade

Tio Ed, o tio

ilustrado por
Ellie Rabisco
Artista Extraordinária

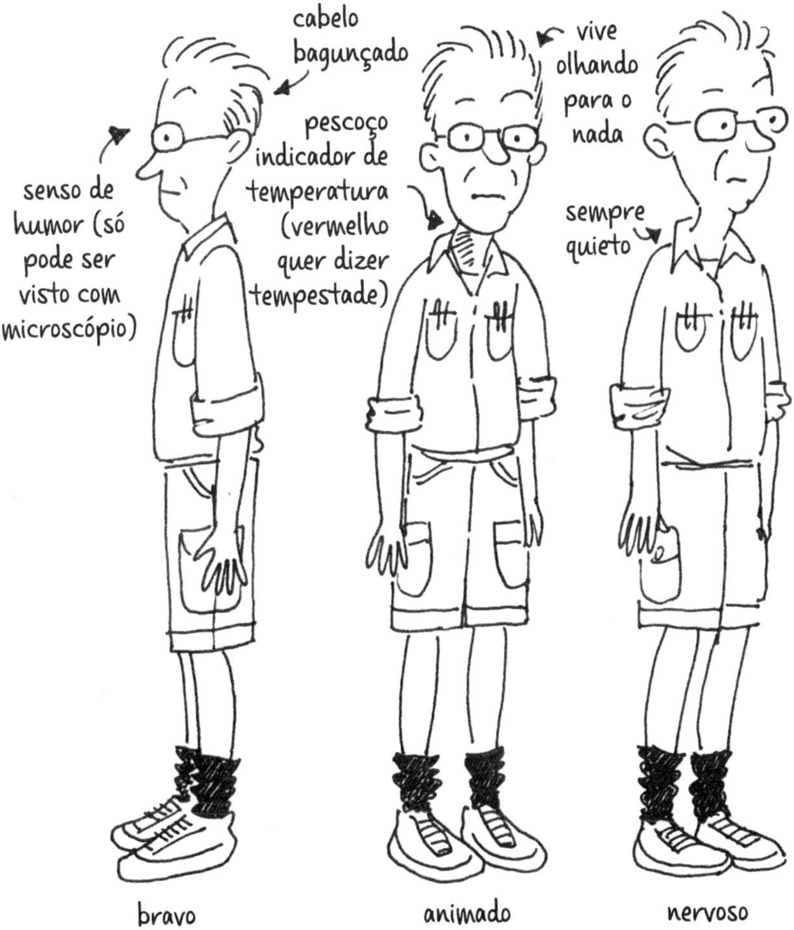

Do que ele gosta? Não tenho a mínima ideia.
Aposto que NEM ELE sabe!

Quanto ao Eric-nojo, só posso dizer que dez minutos com ele fazem meu cérebro pedir socorro.

Ele é mentiroso, traidor e pega as coisas dos outros. (Tenho provas de quase tudo, em primeira mão.)

Toda vez que a tia Má compra um pacote de biscoitos, ele lambe cada um deles para que ninguém mais coma. Ele é um parasita infestado de insetos que só sabe cutucar o nariz e comer meleca.

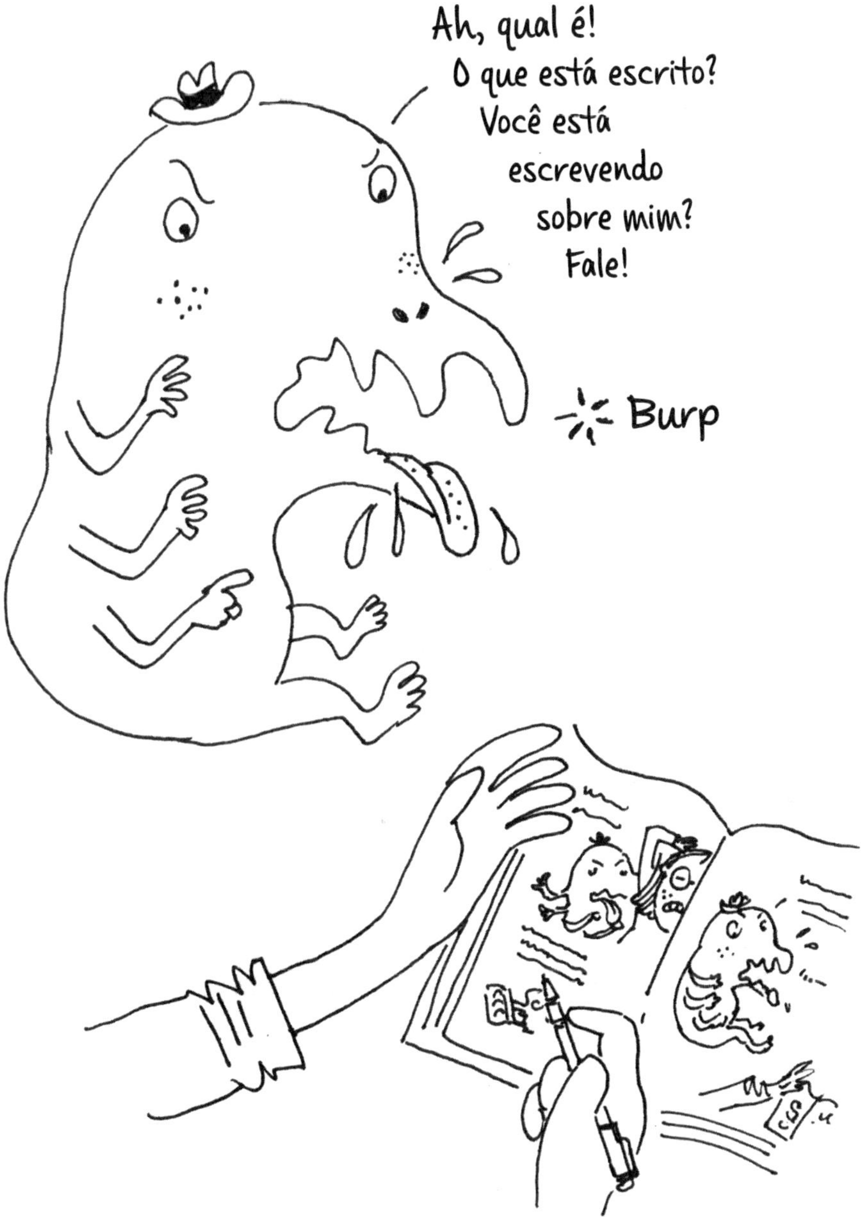
Ah, qual é!
O que está escrito?
Você está
escrevendo
sobre mim?
Fale!
Burp

Fui salva pela tia Má, que FINALMENTE decidiu que era a HORA DO LANCHE.

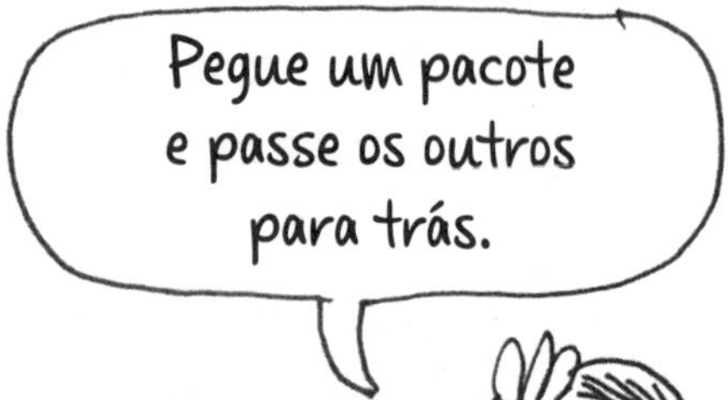

É claro que o Eric-nojo tentou pegar DOIS pacotes.

Com certeza todos iam ficar com sede, mas a gente não podia beber nada na van.

A Diana ficou brava porque achou que a gente tinha roubado os biscoitos dela.

A Cristal não parava de resmungar porque o pacote dela caiu e os biscoitos quebraram.

A bagunça era tanta que a tia Má fez
a gente brincar de vaca amarela.

O que você está desenhando?

XIIIU!

Por quê?

Porque a gente está brincando
de vaca amarela!

Essa aí é a minha mãe?
Você desenhou a minha mãe?

XIIIU!

Essa aí é a m...

XIIIU!
Olha, se você ficar
quieto, eu dou um dos
meus biscoitos pra você.

Tá bom!
E dois palitinhos!

Pra que brincar de vaca amarela? Ninguém ganha nada. Mas acho que é melhor do que ouvir todos brigando.

Mesmo assim, a gente nunca ficava quieto.

Na verdade, ela quis dizer: não me faça ir até aí e cuspir em você!

A Cristal ganhou a brincadeira, mas, como não tinha nenhum prêmio, ela ficou emburrada.

Carácolis. A vida continua, Cristal.
O nome dela é Cristal, mas ela não é nem um pouco brilhante.

Entendendo a Cristal:

Se a Cristal fosse uma cachorra, ela seria uma cachorrinha mimada e toda enfeitada, daquelas bem peludas com latido irritante.

COISAS PARA FAZER NO CARRO

Ler

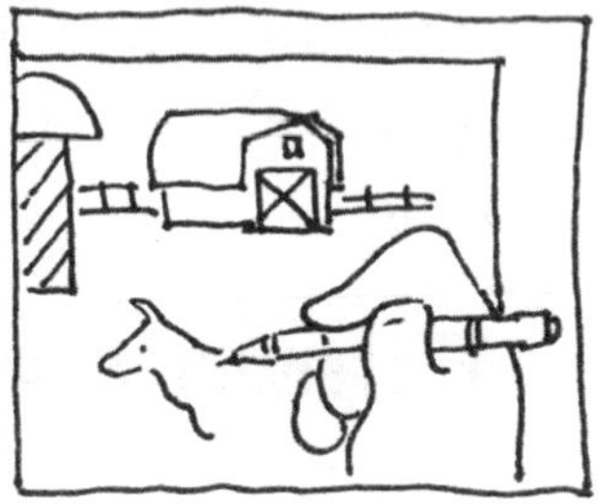

Desenhar

Dormir

ESPIONAR o inimigo

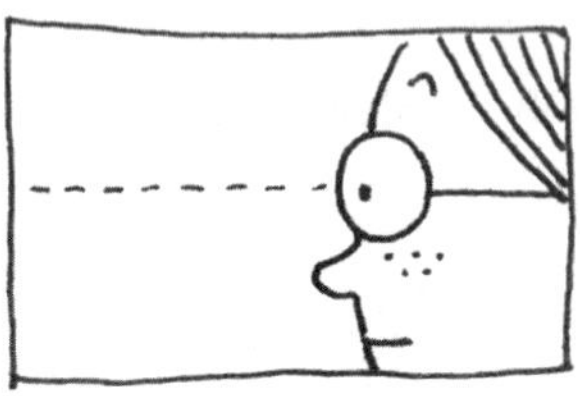

Observar
(começou a chover)

Planejar um tempo BEM
LONGE dessas pessoas
no acampamento

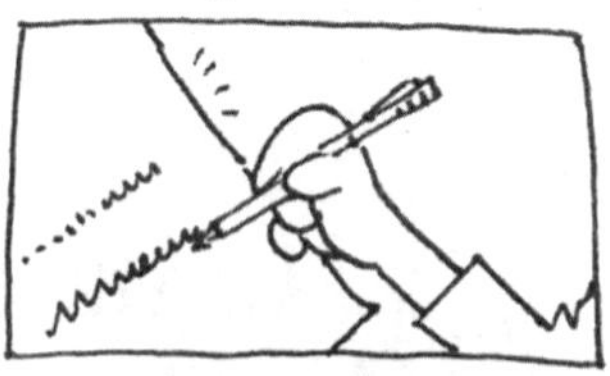

Fazer anotações
com a caneta de
tinta invisível*

* Eu adoro coisas de espião

Península Inferior de Michigan

Há 100 anos, os exploradores acreditavam que Michigan tivesse a forma de um triângulo, mas agora sabemos que a península inferior tem a forma de luva. Fiz o mapa com a minha mão.

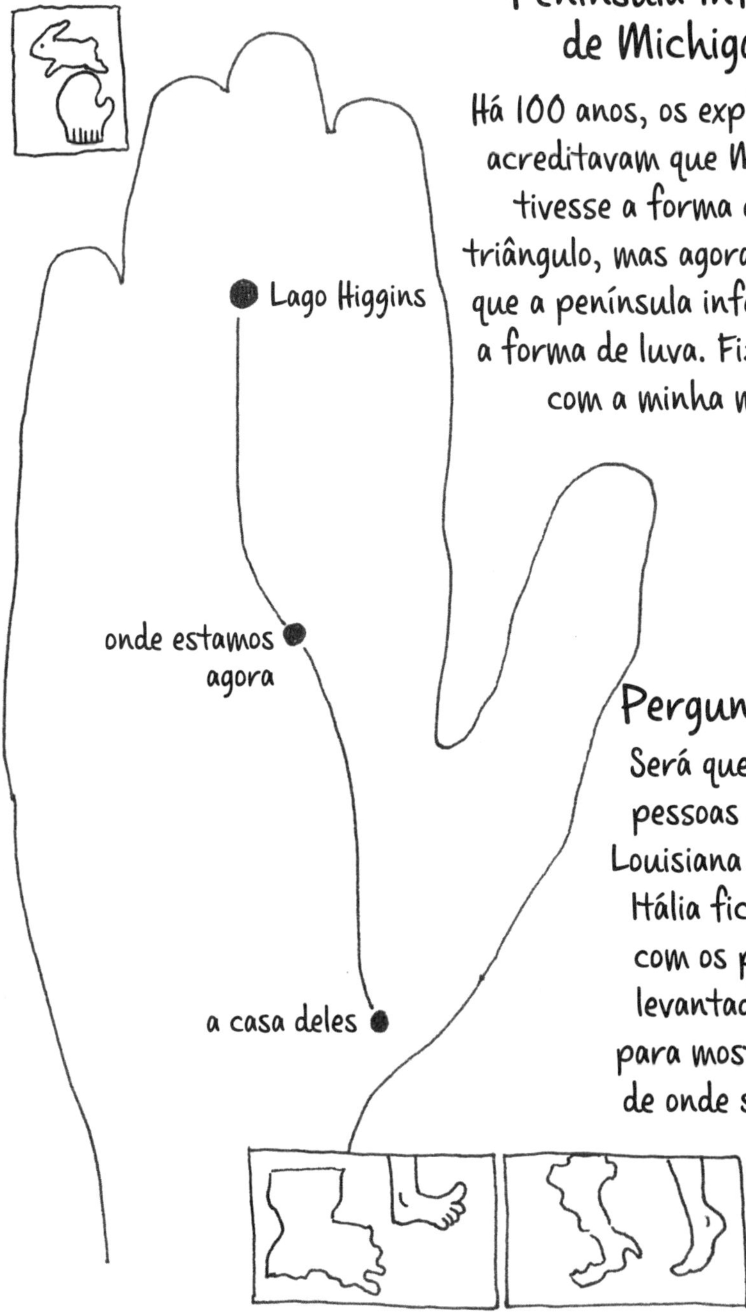

Pergunta:

Será que as pessoas em Louisiana e na Itália ficam com os pés levantados para mostrar de onde são?

Ah, finalmente, o ALMOÇO

Estava caindo o mundo. Cristal e eu saímos correndo na frente.

Eu escolhi *High hopes*, a música preferida do meu pai, em que uma formiguinha tenta, tenta e finalmente consegue o que quer.

A Cristal escolheu *Vem que eu vou te ensinar*, que é a preferida do meu vô.

Eu ensinei a Cristal a desenhar formigas em guardanapos.

A gente tem um jeito estranho de segurar a caneta, ela do jeito dela e eu do meu.

Cada uma desenhou um rosto na mão e a gente fez a dancinha.

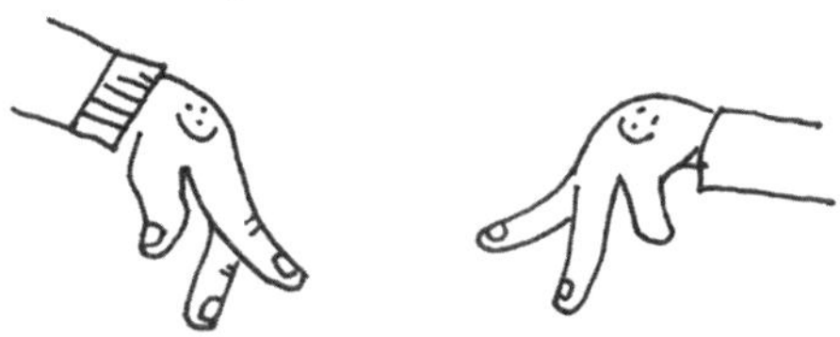

"Pé direito na frente..."

A Cristal queria que eu escrevesse toda a letra de *High hopes* pra ela decorar.

Ben-Ben, o macaquinho maluco, corria pra lá e pra cá.

Ah, como eu queria estar em casa. Eles são chatos DEMAIS.

Bleh.

De volta ao carro, ainda estava chovendo.

Eu gosto de olhar os pequenos rios que as gotas de água formam na janela da van, pra depois tentar adivinhar pra onde eles vão. É como se as gotas estivessem vivas!

Eu me sinto mal quando elas descem pela janela e somem. Parece que estão morrendo.

É estranho quando a gente atravessa uma linha imaginária e a chuva para DO NADA.

O Eric-nojo estava lendo uma revista em quadrinhos.

Interessante. Achei que ele não soubesse ler.

É fácil descobrir se a gente está perto do acampamento. Sempre tem:

1. colinas na estrada
2. muito mato
3. veados entre as árvores
4. placas para turistas

Eu sou especialista em acampamentos. A gente sempre monta barracas. Minha família viaja para o Lago Higgins todo ano, por isso conheço essa região tão bem.

Meus tios não sabem acampar, então preferiram ficar em uma cabana.

Que chatice!

Eles nem deixaram eu levar a minha barraca.

A Cristal queria ir ao banheiro, mas falaram pra ela segurar um pouco, porque a gente já estava chegando e ninguém queria parar. Atravessamos o Rio Au Sable (que se pronuncia "ossable", e não "aussable", como a Diana disse). O vovô me levou pra pescar no Au Sable quando eu tinha 4 anos. (A Cristal começou a ficar vermelha...) A gente passou a loja de iscas e o museu e, depois, a placa da incubadora de peixes. (A Cristal começou a ficar verde...) ATÉ QUE ENFIM! A entrada do Parque Estadual. (Os olhos da Cristal começaram a ficar amarelos...) O *check-in* demorou um tempão. Finalmente fomos pra cabana. Mas a Cristal ainda precisava ir ao banheiro, que ficava muito longe. E ela conseguiu. Eu fui com ela e fingi que ia pegar o primeiro banheiro livre e que ela ia ter que esperar. Ela chora por qualquer coisa.

Carácolis.

Hora de desfazer as malas. Os adultos já tinham escolhido as camas (lógico). O lugar era minúsculo.

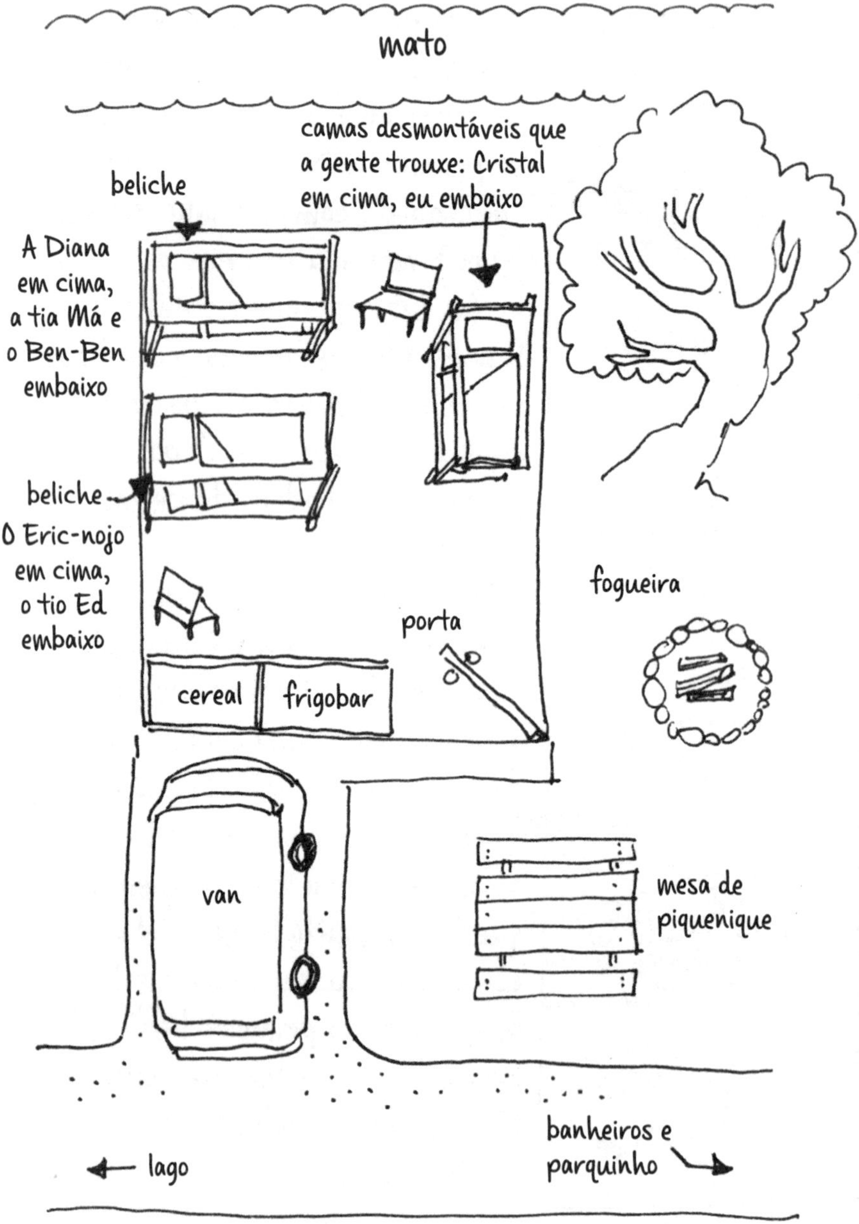

A gente tinha tempo livre até o jantar, mas não podia sair de perto da cabana.

CARÁCOLIS.

Se eu quisesse levar sermão, teria saído com o tio Ed. Vou EMBORA. Fale com um balanço vazio, Dãã-ana.

Grrrr...

A Diana se acha tão esperta. E age como se fosse madura! Ela é 4 meses e 17 dias MAIS NOVA que eu.

Além disso, ela nem é tão legal. Ela sempre arranca a cabeça de todas as bonecas da Cristal e coloca a roupa delas do avesso. Isso não é maduro nem aqui, nem na China!

Enfim, eu só estava brincando.

Achei melhor dar o fora.

ACAMPAMENTO DO LAGO HIGGINS

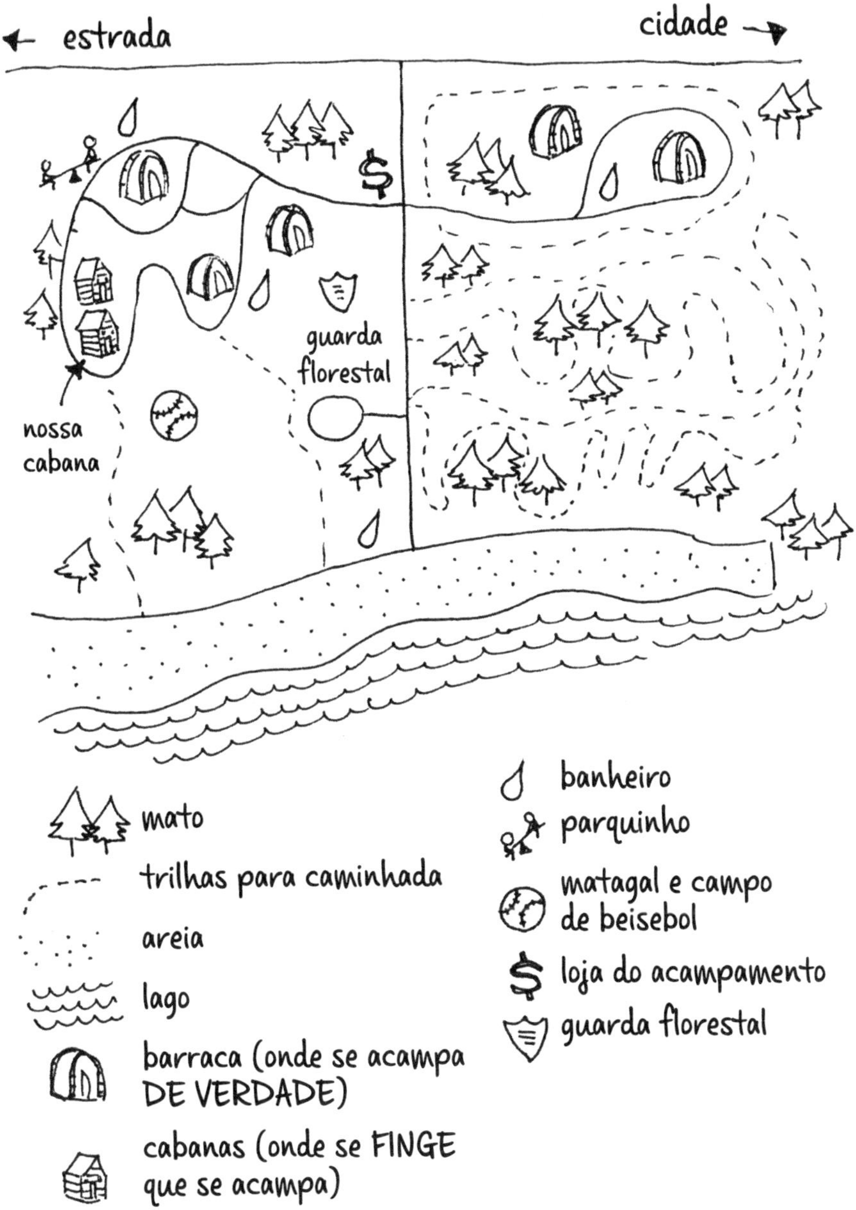

Eu deveria ser a espiã, mas esse garoto chegou perto, assim, de repente!

Este é o Scott, de Kalamazoo.

idade: acabou
de fazer 13

O Scott é misterioso. Tenho a impressão de que, mesmo se a gente conversar por horas e horas, é impossível saber tudo sobre ele.

O Scott e eu fomos dar uma volta pela floresta. Tinha um veado ali, então a gente ficou bem quietinho, e ele chegou muito perto. Foi demais!

andorinha azul-esverdeada brilhante planando graciosamente

vagem de acácia, alimento de veados e de todos os tipos de esquilo

cobra-corredora-azul de quase 1 metro de comprimento

Não acredito que ele saiba tanto assim sobre a natureza.

As coisas mais legais que a gente achou:

Ossos de veado!
Estão branquinhos
(segundo o Scott, isso
significa que faz um
tempo que estão aqui).

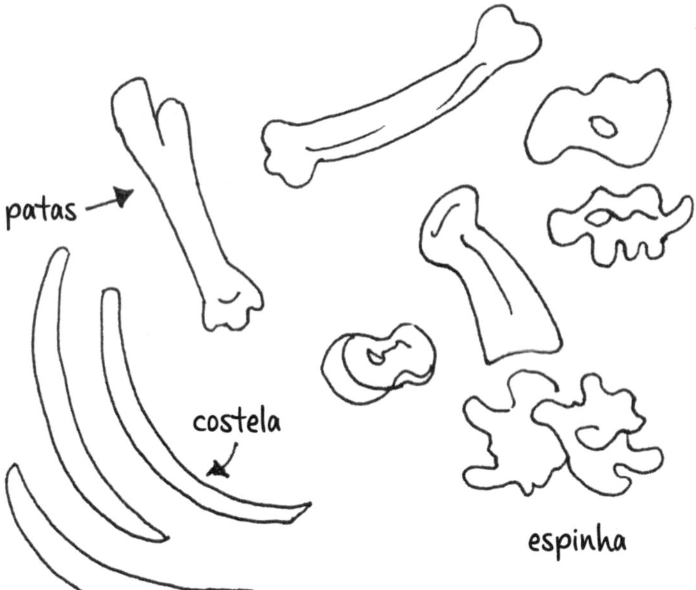

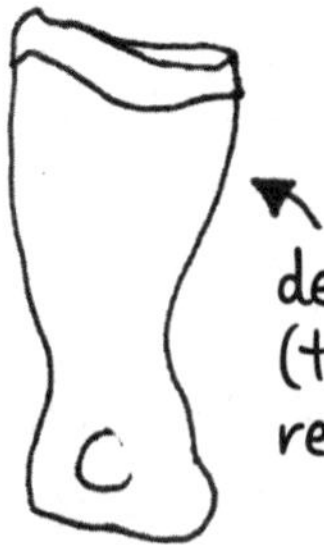

A gente tentou montar
o esqueleto. Parecia
um quebra-cabeça.
Que DEMAIS!

Até a Diana ver a gente...

— Ai, meu DEUS! Vocês estão LOUCOS! Esses ossos são NOJENTOS! Você se ferrou mesmo, Ellie. Está atrasada pro jantar e, ALÉM DISSO, não deveria ficar tão longe da cabana.

JANTAR:

Cachorro-quente,
chili e batata assada.

Até que a tia Maga não cozinhava mal, mas eu queria fazer meu próprio cachorro-quente no espeto na fogueira. É óbvio que disseram NÃO.

Eles também falaram que eu não podia ver o Scott depois do jantar. O Eric-nojo queria pegar o meu diário, então eu tive que sentar em cima dele.

As meninas tinham que lavar a louça (os meninos iam fazer o café da manhã). Que droga. Mais tempo com a Diana.

Ela é tão controladora quanto os pais dela! Mas eu sei me vingar.

(As três palavras mais difíceis que conheço.)

Eu joguei água nela, mas não muita. E ela me bateu com o pano molhado, e doeu MUITO. Pouco depois, a gente ficou de castigo e teve que: 1) lavar a louça de manhã, e 2) sentar de frente uma pra outra SEM fazer cara feia.

Acho que o vovô fazia isso quando nossas mães brigavam. Pelo menos, é melhor que o Castigo da Maçaneta (apertar o nariz como uma maçaneta até ficar de bom humor).

Ah, e eu também tive que ficar uma hora sem escrever no meu diário.

Acabou que eu perguntei pra Diana se ela queria brincar de 20 perguntas, e ela aceitou.

E AÍ, CARAS!
Acho que você quis dizer "E aí, MENINAS!"
Um menino me falou de uma lagoa enorme cheia de sapos! Querem ver?
Cheia de sapos?
ZILHÕES!!!
VAMOS!!!
E levem BALDES!
Peraí... baldes?

Venham comigo!

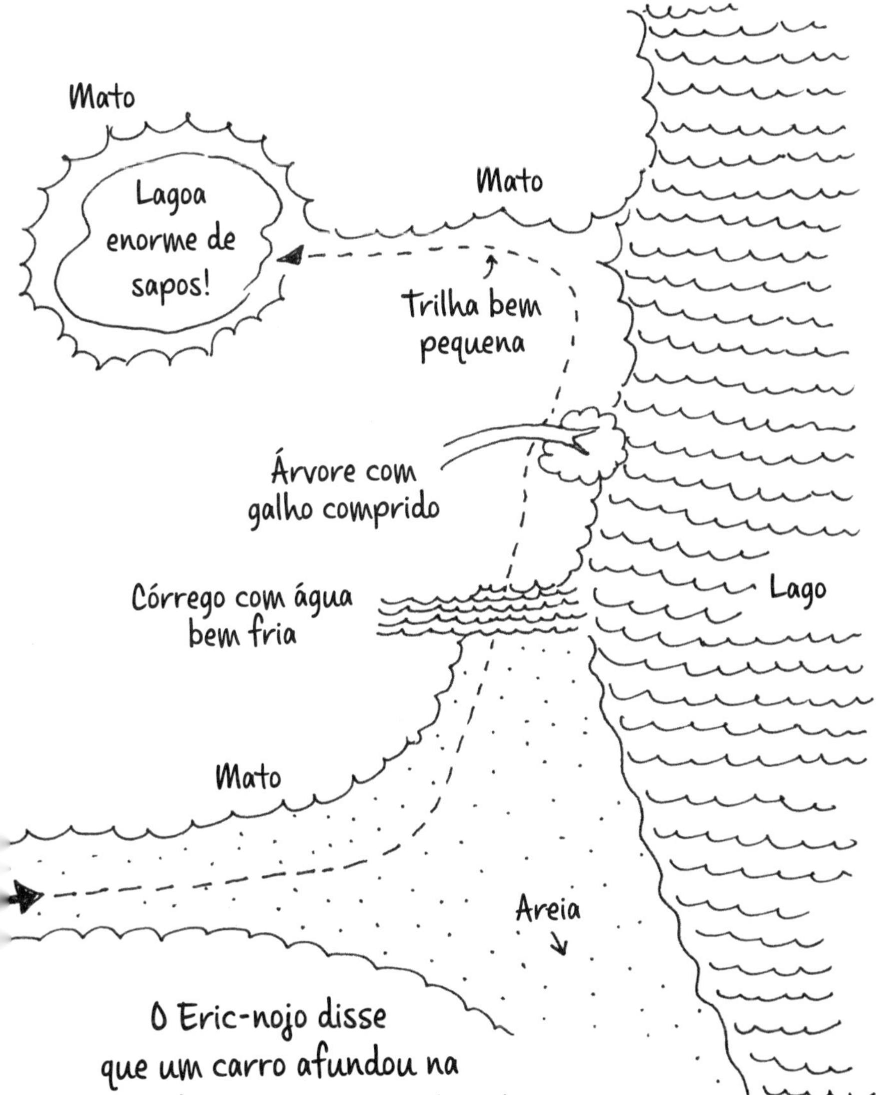

O Eric-nojo disse que um carro afundou na lagoa há 50 anos e a motorista morreu afogada. Os moradores a chamavam de Seaweed Sally, ou Sally das Algas, e, até hoje, o fantasma dela tenta atrair as pessoas pro seu terrível túmulo aquático.

Nossa, o Eric-nojo estava certo! Eu NUNCA tinha visto tantos SAPOS. Comecei a desenhá-los (e a reparar nas orelhas), mas os outros preferiram capturar os sapos. Eu sou mais evoluída, sei que sapos não devem ficar em cestas e baldes.

Sapos enormes,
girinos bonitinhos,
rãs em miniatura.
Eles pegaram
UM MONTE de
bichinhos.

É lógico que a tia Má não ia deixar eles levarem os sapos pra cabana. Então, eles deixaram os baldes do lado de fora e cobriram a parte de cima pros sapos poderem respirar sem fugir.

Então, demos boa noite aos sapos e entramos na cabana.

Caramba! Por que eu não podia usar uma lanterna minúscula pra escrever no meu diário?

A minha lanterna não ia acordar ninguém. Já o GRITO dele...

Ah, deixa pra lá.

Boa noite.

Segundo dia

Era de manhãzinha e estava chovendo. Bleh. Que tortura. Um monte de parentes entre quatro paredes. Depois de três vacas amarelas, meia hora de leitura forçada (estranho como a gente passa a odiar uma coisa se ela for forçada) e um café da manhã com o cereal favorito deles, e só deles, eu só queria DAR O FORA.

Eu: Posso dar uma voltinha? Eu tenho um poncho.

Eles: NÃO.

A tia Má distribuiu alguns limpadores de cachimbo e disse pra todos fazerem coisas que viram no acampamento. Veja o que eu fiz:

Eu sou o Eric-nojo e sou um babuíno* tonto!

* macaco esquisito

De repente, tive uma ideia genial. Ensinei todos a jogar o Jogo das Colheres. O Eric-nojo ganhou sem trapacear. Até que foi divertido, mas eu nunca vou admitir isso pra nenhum deles.

COMO JOGAR O JOGO DAS 

É como o jogo das s, mas com s.

Cada  recebe 4 .

O carteador retira 1  do monte,

tenta combinar com as  da sua ,

e passa 1  para o jogador à sua direita.

O primeiro que tiver 4  com o mesmo valor,

pega uma  disfarçadamente.

Assim que os outros perceberem que falta uma , eles também tentam pegar uma .

Mas com 5 , o jogo tem só 4 , então, alguém vai perder. O perdedor recebe a letra “C”.

Daí, a segunda rodada começa. Se a mesma  perder, ela recebe um “O”, e assim por diante. Quando alguém formar a palavra “COLHER”, o jogo acaba (a cada rodada, uma  diferente pode dar as ).

E se você tiver um  como o Ben-Ben por perto, é bom dar algumas  a mais pra ele, senão, ele vai estragar a brincadeira.

Depois de nove rodadas do Jogo das Colheres, as coisas começaram a ficar feias de novo. Então, a tia Má e o tio Ed mandaram a gente ir pro...

Até que foi bom. Pelo menos pude ficar um pouco sozinha. Havia muitos turistas lá, mas eu preferi espiar os animais mortos.

raposa –

menor do que eu esperava

guaxinim –

maior do que eu esperava

ratinho –

Uma vez, capturamos um ratinho no escritório do meu pai. A gente saiu uns cinco minutos pra buscar uma gaiola melhor e, quando voltamos, ele já tinha sumido.

porco-espinho –

Qual a brincadeira preferida dele? Pega-pega.

Peixe-pássaro-do-campo –

O Museu do Alce ficou famoso por este peixe. Ele corria pela terra com as pegadas em direções opostas, para despistar seus inimigos. Eu tinha 10 anos quando percebi que alguém tinha inventado tudo.

As águias-calvas não são calvas, exceto pelos pés.

As pessoas do Museu do Alce levam o alce muito a sério.

O bebedouro é uma cabeça de alce.

Todas as pessoas usam acessórios de alce e fazem a saudação do Alce. Isso é tão bobo.

BEN-BEN
O macaquinho à solta

O Ben-Ben se enfia em qualquer lugar assim que a gente dá as costas.

E ele sempre perde uma meia e um tênis.

O totem tem três andares.

Num instante, ele se pendura no chifre do alce.

No outro, já está no topo do totem.

E como ele faz isso? Vou repetir: ele é parte macaco.

Estudo da vida selvagem nas redondezas: Diana, 11 anos

Às vezes, nascem em pares: este espécime é o gêmeo mais velho, só 3 minutos. Também é o mais alto e dominante. O Eric-nojo se sente menos importante e, por isso, é malcriado.

Espionando as pessoas na loja...

A tia Má estava tentando convencer as crianças mais novas a comprar lembrancinhas mais baratas. A Cristal levou uma garrafa d'água.

O Eric-nojo gastou o dinheiro dele com cocô de cachorro de mentira, moscas de plástico e, claro, doces.

A Diana comprou uma faixa antissuor (eca), mas o que ela queria mesmo era a bola de futebol.

Ai, Eric-nojo, você é TÃO engraçado.

Minhas respostas seriam:

– Não, a bola é muito cabeça de vento.
– Ela é muito bolada.
– É porque ela não bate um bolão.
– Deixe as coisas rolarem!
– Como seria um triângulo amoroso com uma bola?
– Um ano depois, elas poderiam ter um bebê saltitante.

O tio Ed pegou um livro de astronomia.

Eu comprei um saquinho de pedras e dois livros: *Sobrevivência* e *Pegadas de animais*.

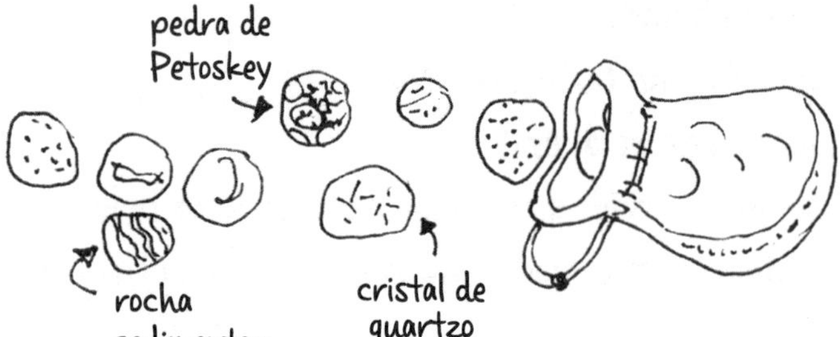

De volta ao acampamento...
A Cristal e o Ben-Ben estavam contando minhocas no chão perto da cabana, e eu saí pra mostrar meus desenhos pro Scott.

Eu deixei o Scott ler este diário. O cantinho dele parecia um acampamento DE VERDADE. Fiquei com vergonha de ficar na cabana com meus primos. Parecia mais um hotel. Eu queria algo mais rústico.

O Scott me mostrou o que ele guarda no saquinho.

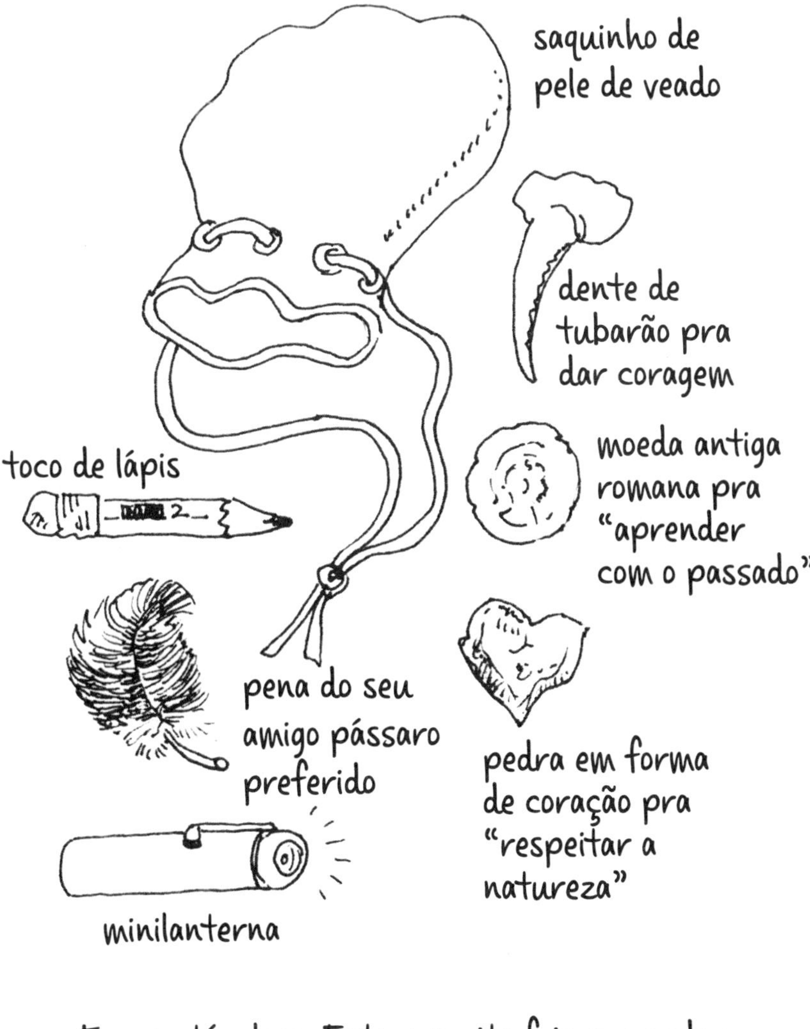

Fomos até o lago. Estava muito frio pra nadar, mas a gente chegou bem perto da margem.

Eu posso contar qualquer coisa pro Scott, mas acho que não posso dizer que gosto dele.

Hora do jantar na cabana.

Sim. É isso mesmo. O Ben-Ben estava comendo cereal direto da caixa COM OS PÉS! E este cereal nem era tão ruim quanto os outros...

A madeira estava toda molhada, e o fogão improvisado ficou coberto de fumaça.

Guisado enlatado defumado com cinzas de jornais em chamas.

DELICIOSO.

Pra piorar, o Eric-nojo colocou moscas de plástico em todos os pratos.

Quatro-olhos, o que você está escrevendo aí?
Ela é uma ESPIÃ.
Você está espionando a gente, Ellie?
Eu... ah...

CARAMBA!

Calma, Ellie. Calcule cada movimento.

Não posso deixar ninguém curioso pra saber o que há no meu diário. Vai que eles se unem contra mim e conseguem pegá-lo. Preciso manter este diário longe das mãos inimigas! Já sei, vou distraí-los com um joguinho.

Ufa! Problema resolvido. Brincamos de espião por um tempo (até que todos começaram a dizer "árvore") e, depois, eu fiz todos brincarem de nó humano com as outras crianças no parquinho.

Sem soltar as mãos, a gente tentou fazer um círculo bem grande.

Fizemos essa brincadeira quatro vezes. Em todas elas, o Scott segurou minha mão.

Depois, brincamos de um, dois, três pra descobrir quem seria a "coisa" na próxima brincadeira.

UM, DOIS, TRÊS:

1. Em círculo, todos colocam uma mão pra frente.

2. Todos dizem "um, dois, três" e, na palavra "três", todos mostram um, dois ou três dedos.

3. Com a soma de todos os dedos, uma pessoa vai contando e apontando para as pessoas do círculo, começando pelo jogador mais novo. O jogador apontado por último é a "coisa".

PEGA-PEGA CORRENTE:

Começou a escurecer e a gente voltou pra cabana e fez uma fogueira. Bleh.
Graças à chuva, havia um monte de mosquitos.
Bleh. De novo.
E um zilhão de pernilongos. AI!
Entrei na cabana mais cedo, pra poder escrever um pouco neste diário. Quando os outros chegaram, deixaram todos os mosquitos entrarem também.
Uau, que noite perfeita.

Terceiro dia

EEECAAA!

A Cristal fez

XIXI

em mim!!!

Que cama horrível! Vazou TUDO!

E, então, enquanto eu levava meu saco de dormir todo nojento pra fora da cabana, vi uma cartinha!

Pra piorar, a tia Má disse que a gente tinha que ir pra incubadora de trutas da cidade. Eu já estava de saco cheio desse povo.

O tio Ed deixou a gente na incubadora e foi para a lavanderia. Quem pagou o pato? Eu, lógico.

A INCUBADORA DE TRUTAS:

Ficar parado por horas e horas vendo os peixes nadarem. Se quiser mais diversão, é só pagar 25 centavos por um punhado de comida de peixe e jogar tudo na água.

O Eric-nojo colocou comida de peixe dentro da minha camiseta, e minhas costas ficaram com cheiro de peixe morto.

Eu precisava me vingar dele de algum jeito. Então, resolvi pedir a ajuda do Scott pra ele me dar algumas ideias.

Ah, doce vingança...

– Por favor, Ellie, eu imploro, não faça mais isso comigo. Eu já aprendi a lição. A partir de agora, vou fazer o que você quiser. Eu faço suas tarefas.

De volta ao acampamento, FINALMENTE, com um saco de dormir limpinho que o tio Ed lavou. Era o mínimo que ele podia fazer. Decidi ir pro acampamento 137 pra encontrar meu único amigo nesse lugar chatíssimo... ☺

Ah, NÃO, NÃO, NÃÃÃO!

A família do Scott FOI EMBORA!

Agora sim eu estava completamente sozinha. Decidi ficar lá a noite inteira. Só eu e os insetos.

Não dava pra acreditar que o Scott tinha ido embora sem dizer tchau. Eu não podia ficar presa com todos esses parentes horríveis que faziam xixi na cama e ficavam cuidando da minha vida.

Minhas escolhas eram:

___ Tolerá-los por mais quatro dias.
___ Achar um esconderijo até a hora de ir embora.
___ Ser honesta com eles e dizer que são insuportáveis (ou seja, começar uma GUERRA).
___ Pegar um ônibus de volta pra minha casa.
___ Falar pra um guarda-florestal que eu estava perdida e que precisava voltar logo pra casa.
___ Formar uma aliança com um deles. Pelo menos, alguém estaria do meu lado.

Previsão para o resto da viagem:

normal ___ ruim ___ péssima ___ terrível ___

horrível ___ a pior de todas ___ desastre ___

Talvez o Scott tenha deixado uma mensagem pra mim em algum lugar. Isso requer uma missão de detetive.

Nada por aqui.
Desespero.
Mas, de repente...
A vitória!
Ei, essas pedras têm NÚMEROS e aquela pedra do Scott em forma de coração está aqui. É uma mensagem.
Acho que é o telefone dele!

Fiquei tão aliviada. Mesmo se eu nunca ligasse pro Scott, era bom saber que ele tinha deixado uma mensagem de adeus pra mim.

Decidi deixar um tributo a ele. Ele nunca ia ver, mas o universo sabe o que eu fiz.

O elefante é símbolo de sabedoria, força, boa sorte e, claro, lembrança eterna.

O jantar não foi nada bom.

A gente estava comendo tacos, e ninguém percebeu que o Ben-Ben tinha saído da mesa.

Até ele voltar...

... com um sapo na mão: o MAIOR sapo.

Ele apertou demais.

As entranhas do bichinho estavam pra fora.

Acho que aquela foi a coisa mais nojenta que eu já tinha visto em toda a minha vida. E o Ben-Ben não tinha a mínima ideia do que estava acontecendo.

O tio Ed enterrou o sapo. Fomos ver se os outros sapos estavam bem. A tia Má guardou o jantar e levou a gente pra um passeio pela natureza.

Igualzinho na minha casa, nada é como eu quero.

Ah, até que não foi tão ruim. A gente foi pro lago jogar pedrinhas na água.

Eu só queria saber se o dia seguinte ia ser bom pra nadar.

Depois de voltar do lago, a gente foi pro parquinho.

Essa parte me assustou: eles foram brincar de pega-pega! Eu fiquei só anotando no meu diário.

Foi uma surpresa mesmo. Não sabia que eles também brincavam juntos. Normalmente, a única coisa que faziam juntos era brigar. Ou aprisionar e matar sapos.

O meu novo livro de sobrevivência ensinava a se livrar de furacões, areia movediça e ataques de tigre, mas no meu caso ele não era muito útil.

DICAS PARA SOBREVIVER A UM ACAMPAMENTO

com parentes insuportáveis

mantenha distância

não fale muito

não adquira os maus hábitos deles

se confrontada pelo inimigo, afaste-se devagar

fique de olho na recompensa

tenha uma caneta sempre à mão

Eles pararam de brincar de pega-pega no parquinho.

Eu sabia que eles não iam querer brincar disso. Eu só queria dar ideias de brincadeiras mais criativas do que pega-pega.

Aquela é Orion?
Orion só aparece no inverno.
O quê? O papai conhece as estrelas?
Claro! Estudei Astronomia na faculdade.
Estou vendo a Ursa Maior!
E cadê a Ursa Menor?
Ali! Está vendo?
Nossa!
Olhem! Sírio!
Ah, fala sério! Hahaha
Aquela estrela é a Rígel.
Aquela é a Castor, e a outra é a Pólux.
Estou vendo a Via Láctea.
Que fome!
É incrível como dá pra ver milhares de estrelas aqui no interior.
Aquela estrela está brilhando mais que as outras!
Brilha, brilha, estrelinha...
Ah, acho que o Ben-Ben comeu um bicho.

Pai, você tem um telescópio?
Tenho. É um telescópio catadióptrico.
O quê???
É profissional.
Isso é DEMAIS!
Quando chegar em casa, você pode nos mostrar o telescópio?
Claro!
Posso usar sozinho?
Ahn... NÃO!
A gente devia fazer isso de novo.
Vocês viram aquilo? Uma estrela cadente!
Continuem olhando! É uma chuva de meteoro.
É!
Devia mesmo!
Nossa!
Muito legal!
Papai, que estrela é aquela?
Pai, que constelação é aquela?

Quarto dia*

Hora de tomar café, e eu já estava de SACO CHEIO do Eric-nojo.

E ele sempre tenta pegar este diário.

A tia Má disse que a gente estava com um cheiro estranho e mandou a gente tomar banho LOGO. E eu não sabia onde esconder o diário...

*Ninguém fez xixi em mim à noite. Graças a Deus.

IDEIAS: Onde esconder o diário

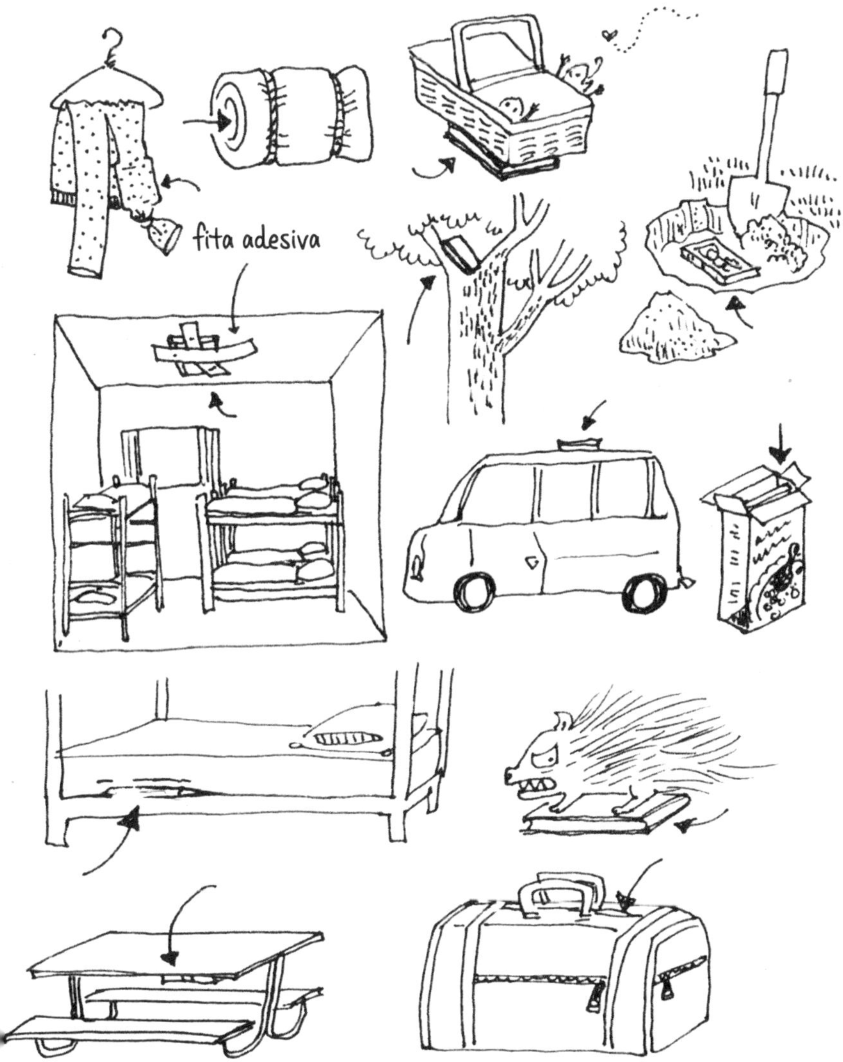

Não, não, não!!!
A minha mala ia ser o PRIMEIRO
lugar onde ele ia procurar!

Que banho gostoso! Eu voltei pra pegar meu diário e encontrei isto:

CADÊ OS SAPOS?
Quem teria feito isso?
Será que viram meu diário?
Mais importante, será que leram?

Eu não ligaria se a Cristal fosse comigo. Na verdade, de todos eles, ela é a melhor companhia. E eu poderia ensiná-la a ser alguém melhor!

Estas são regras para a vida. Só use pra fazer o bem, nunca pro mal:

- Seja corajosa.
- Aprenda com o passado.
- Respeite a natureza.
- Brinque bastante.
- Não beba muito líquido antes de dormir.
- Não se preocupe muito com sua aparência.
- Sua família é estranha. Não fique muito perto dela.
- Procure sempre uma rota de fuga.
- Lembre-se da música da formiguinha.

A Cristal é uma boa aluna. Ela repetiu cada item e ainda cantou a música da formiguinha pra mim. Ela decorou em três dias!

Ela é muito parecida comigo quando eu tinha a idade dela.

Eu mostrei algumas coisas pra ela na floresta.

Hera venenosa

Louva-a-deus

As fêmeas tentam comer os machos. Elas arrancam a cabeça deles! Que nojo. Mas é legal ver que os homens também podem perder a cabeça. ha ha

Pegadas de urso

Caramba! Melhor a gente tomar cuidado!

Enquanto a Cristal pegava E SOLTAVA os sapos de volta pra lagoa, eu tentava descobrir quem esvaziou os baldes que estavam perto da cabana.

Tio Ed
Tia Má
Diana
Cristal

?
Talvez
?

Eu
Eric-nojo
Ben-Ben

Não.
Não fiz,
não faria,
não conseguiria.

Quem quer que tenha sido, merecia um prêmio por ter LIBERTADO todos os sapos.

O Prêmio de Libertação de Sapos pelos serviços humanitários e anfibitários prestados para nossos lindos amiguinhos anfíbios.

Ai, ECA.
Adivinhe quem estava lá.

Eu tinha acabado de convencer a Cristal de que era feio pegar sapos sem poder dar um bom lar pra eles, e lá estava o Eric-nojo. Ele devia ter visto que os sapos não estavam mais na cabana.

Decidi escrever depois.
Foi tudo rápido demais.

E a coisa ficou pior.

Aqui!
Cof, cof, socorro!
O que você quer que eu faça com isso? Brinque de jogo da velha?
Aargh! Preciso de um pedaço maior!
Segure isso!
Nossa, ajudou MUITO!

Então, eu joguei um tronco de madeira bem grande e acertei na cara dele. Ele gritou e se segurou no tronco e então...

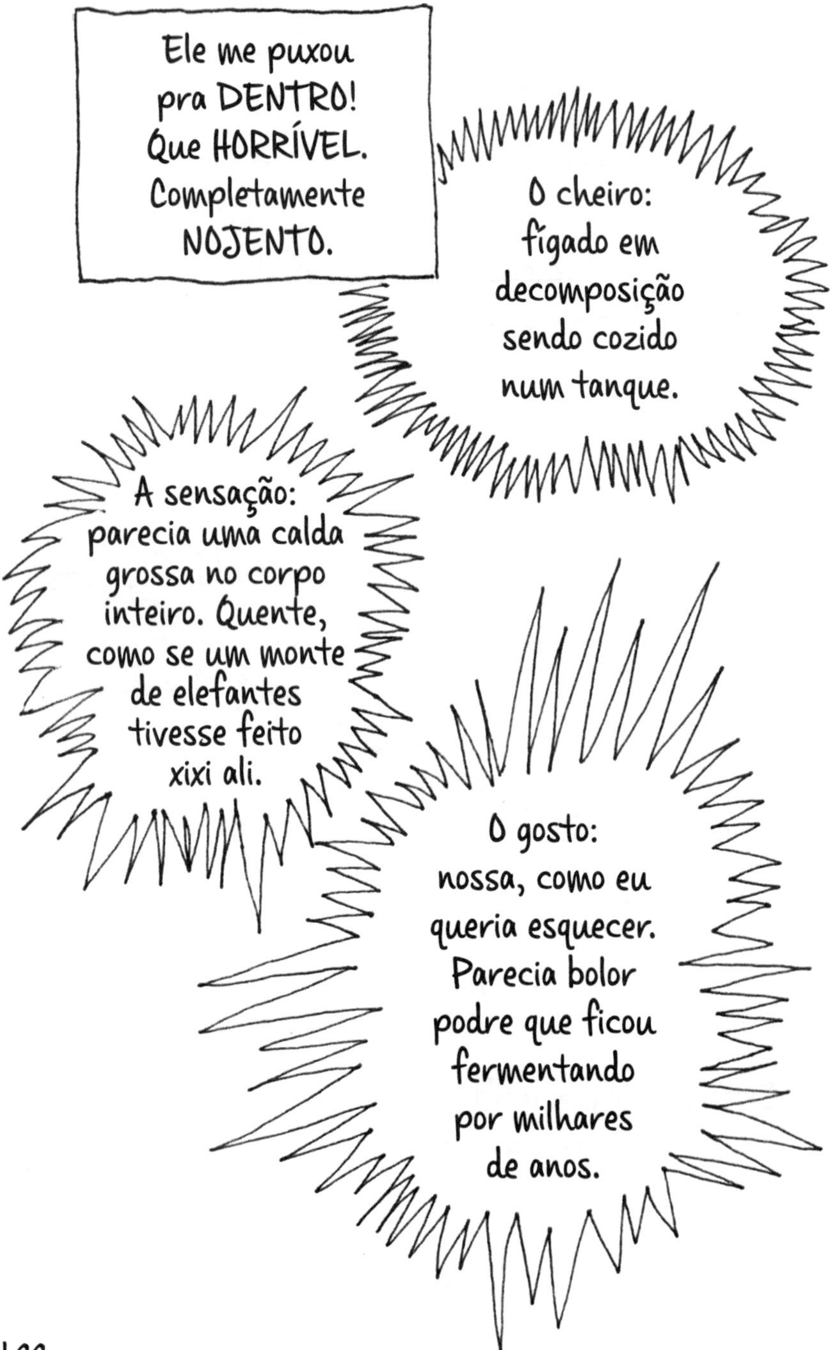
Ele me puxou pra DENTRO! Que HORRÍVEL. Completamente NOJENTO.
O cheiro: fígado em decomposição sendo cozido num tanque.
A sensação: parecia uma calda grossa no corpo inteiro. Quente, como se um monte de elefantes tivesse feito xixi ali.
O gosto: nossa, como eu queria esquecer. Parecia bolor podre que ficou fermentando por milhares de anos.

Eu fiquei apavorada. Qualquer um ficaria!

E eu juro que consegui sentir alguma coisa puxando meus tênis.

Foi ASSUSTADOR.

O medo se transformou em raiva: o Eric me puxou de propósito, com certeza!

De repente, fiquei com vontade de empurrá-lo pra baixo. Assim, a Sally das Algas poderia capturá-lo.

Mas precisava me concentrar pra sair dali. Puxei a grama com toda a força, meus braços começaram a doer, meus dedos estavam quase sangrando de tanto agarrar as coisas...

Então, senti alguma coisa me empurrando para a beira da lagoa. Era a adrenalina, tenho certeza. As pessoas têm uma força sobrenatural quando estão no limite.

Sou a supermulher!

O Eric-nojo começou a vomitar na grama (e eu também). Eu tirei o chapéu dele da água. Para minha surpresa, o chapéu não estava tão nojento. A Cristal ainda estava transtornada por causa da Sally das Algas.

Então, o Eric-nojo começou a correr. No começo, eu não entendi o que estava acontecendo, mas depois lembrei: o LAGO! E corri também.

O Lago Higgins estava muito gelado, porque tinha chovido muito.

Estava limpinho e não era muito fundo.

As ondas vinham trazendo peixinhos e pedaços de pau. Depois, elas voltavam, levando toda a sujeira da lagoa.

Ficamos um tempão na água, tossindo e bufando, com a respiração ofegante. Eu tentei tirar toda a alga do meu cabelo e da minha roupa, mas era impossível.

Finalmente, voltamos pro acampamento sem dizer uma palavra.

O que aconteceu com vocês dois?
A quatro-olhos me empurrou pra dentro da lagoa dos sapos.
Não! Foi ELE que me puxou pra dentro!
Sorte dele que eu saí de lá! Eu quase me afoguei, mas consegui voltar pra terra firme.
VOCÊ conseguiu? Fui EU que ajudei você, sua chata gosmenta!
O quê? Ele?

Minha nossa. ELE me ajudou? Quando eu já não tinha mais forças, senti alguma coisa me empurrando pra grama. Era ELE? O Eric-nojo sendo corajoso e generoso? Seria possível?

Mesmo assim, ficamos de castigo. Tivemos que ir pro hospital e levar uma gosma pros médicos analisarem e verem se a gente tinha pegado alguma doença nojenta do lago. Bleh.

Pior ainda, a tia Má fez a gente prometer ser mais legal um com o outro e parar com os apelidos.

Eu precisava pensar um pouco.

Tomei outro banho.
O terceiro do dia. E
ainda me sentia suja.

Jantar: PEIXE.
E espinafre que
parecia alga.
Que nojo. Não
consegui comer.

Depois do
jantar, fizemos
uma fogueira.
O Eric-nojo
estava quietinho,
e eu também.

Eu sentei bem na frente da fumaça, que veio toda no meu rosto. Sei que é estranho, mas me senti melhor no meio da fumaça. Tive a sensação de que ela estava levando embora os germes e a sujeira da lagoa.

Eca.

Por mais que eu enchesse minha boca de água e cuspisse, eu ainda conseguia sentir o gosto de algas e sapos.

Mais tarde, na cabana...

O tio Ed falou que faltavam dez minutos pra apagar as luzes.

Eu já sabia o que tinha que fazer:
voltar pra lagoa dos sapos.

É como tentar subir em um cavalo depois de ser jogado no chão.

Mas eu não queria.

Quinto dia

Sonhei que vários sapos me faziam de refém e que só iam me soltar se o Eric-nojo prometesse que nunca mais ia capturá-los. E é óbvio que ele não prometeu. Depois, ele se transformou em um louva-a-deus e eu acordei sorrindo.

Enquanto a gente lavava a louça do café da manhã, pedi pra Cristal ir comigo ver os sapos de novo. Assim que a gente chegou na trilha, todos decidiram ir com a gente.

OPERAÇÃO RECONCILIAÇÃO COM A LAGOA

Eu não estou com medo. Eu não estou com medo.

meu mantra

Era como um programa de detetive. A gente só precisava achar o tronco de onde o Eric-nojo caiu, os pedaços de pau que eu usei pra salvá-lo e as nossas pegadas na lama.

Era só uma lagoa. Nem era tão grande. Talvez nem fosse tão funda. Eu sobrevivi e não tinha mais motivo pra ficar com medo.

Peguei um sapo, fiz carinho nele e soltei o bichinho na água gosmenta.

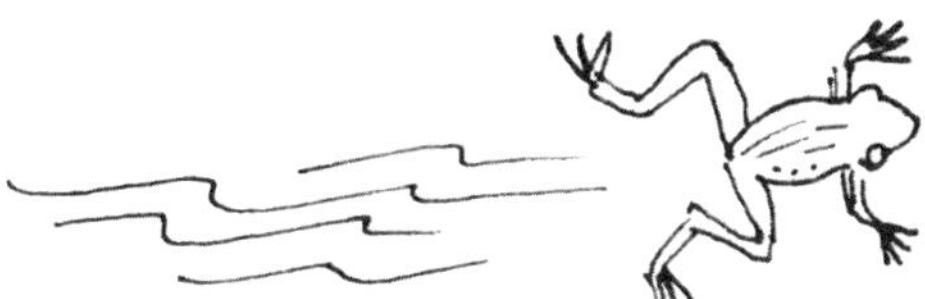

Então, comecei a imaginar como seria beijar um sapo.

Príncipe encantado ou não, acho que eu não beijaria.

Eca!

A gente foi até o lago e a Cristal teve a ideia de fazer um sapo gigante de areia em homenagem à nossa aventura na lagoa, e a gente fez. Todos começaram a contar um monte de piadas bobas de sapo.

Como o sapo atravessa a rua?
Sapateando.

Por que o sapo não foi pra aula?
Porque estava com sapinho.

Qual o tempero favorito do sapo?
Noz-moscada.

Por que o sapo pediu demissão?
Porque ele cansou de engolir sapo.

Qual é o filme preferido do sapo?
Os três mosqueteiros.

∩ isso quer dizer animal sacrificado

Então a gente caminhou no lago, pegando as pedras e conchas mais bonitas.

Eles são tão fofos!
Eles ficaram nadando em volta do meu pé. Eu peguei um na mão!
A gente tem que ser RÁPIDO.

A gente colocou as pedras e conchas em volta do sapo gigante de areia para protegê-lo.

ALMOÇO

Restos:

- Tacos (da Noite do Sapo Morto)
- Peixe (da Noite da Lagoa Nojenta)
- Cachorros-quentes (da Noite em que Zoamos a Cristal)

Ahn... Achei melhor comer um lanche com manteiga de amendoim.

Depois do almoço, fomos nadar!

Coisas que eu gosto de fazer na praia:

- Andar com as mãos na água.
- Enterrar os pés na areia fria embaixo d'água.

- Colocar areia nas pernas e levantá-las, pra ver a areia caindo.
- Ficar imóvel pros peixinhos pensarem que eu sou uma pedra e nadarem bem perto de mim.

peixinhos

(tamanho real)

Eu também gosto de andar de joelhos até a água ficar na altura do meu queixo, depois ver até onde consigo ir sem a água alcançar a minha boca.

Gosto de fingir que sou a única sobrevivente do Titanic e ver quanto tempo eu consigo flutuar de barriga pra cima (um tempão, e é por isso que sou a única sobrevivente).

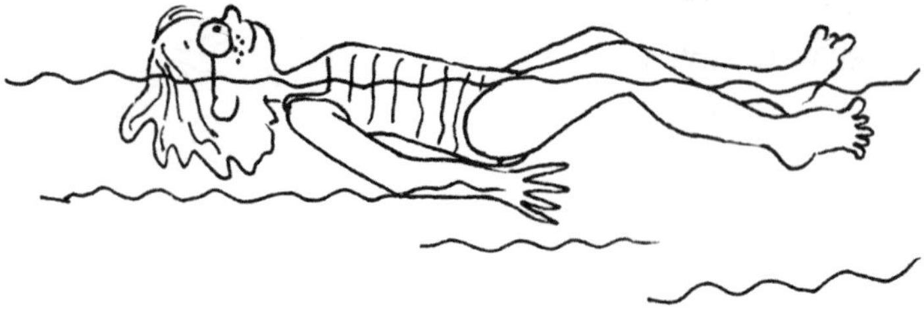

Gosto de correr na parte mais funda. É legal ver como é difícil mexer as pernas e ouvir o som que a água faz quando eu ando.

Gosto de pular pra fora d'água o mais alto que eu puder, igual a um foguete.

Acima de tudo, gosto de ser eu mesma na praia (mas nem sempre).

Gosto de ficar enterrada na areia e ver tudo rachar enquanto eu levanto devagarinho.

Castelos de areia são legais, sapos gigantes são melhores ainda e bonecos de neve de areia fazem as pessoas imaginarem se eles são alienígenas que pousaram na Terra.

Foi aí que a Diana teve uma ideia...

VAMOS PREGAR UMA PEÇA!

Eu e a Diana voltamos pro acampamento pra fazer uma surpresa pros outros quando eles abrissem a porta da cabana: dois bonecos esquisitos que iam fazer com que eles gritassem como bebezinhos.

A gente fechou a porta e se escondeu entre os arbustos, do outro lado da cabana. Dava pra ver tudo direitinho e a gente nem precisou esperar muito...

Ha ha ha ha ha ha ha ha ha ha ha ha ha ha ha ha

CONSEGUIMOS!

A gente riu tanto que nossa barriga até doeu. Eles gritaram até ficarem roucos. A gente tinha que dar uma chance pra eles poderem se recuperar (e talvez se vingar), então decidimos ir pra loja e alugar bicicletas por uma hora.

Vou esconder este diário no meu saco de dormir antes de a gente ir embora! (Rindo muito!)

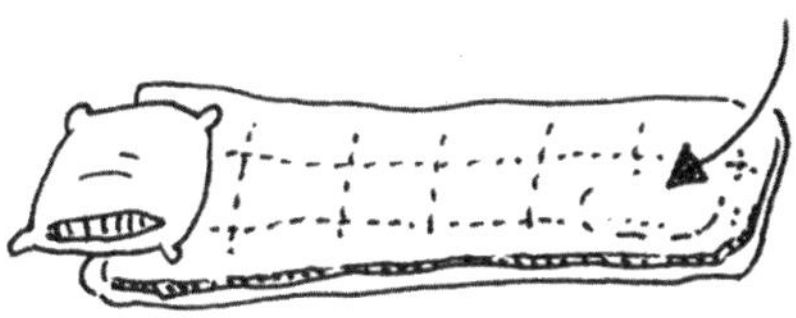

Quem diria que a Diana era tão criativa?

Ninguém gosta
de você também.

AI, MEU DEUS! AI, MEU DEUS! AI, MEU DEUS!

Enquanto a gente estava andando de bicicleta,
o Eric-nojo achou meu diário
e leu tudo,
e ainda escreveu nele.

MEU DIÁRIO SECRETO!

Será que poderia acontecer alguma coisa pior?
Não. A vida não podia ser mais terrível que isso.

CONTROLE DE DANOS:
Não entre em pânico. PENSE!

- Quanto será que o Eric-nojo leu?
- Pra quem mais ele mostrou o MEU DIÁRIO?
- Será que a tia Maga leu também?
- Eu aguento sobreviver aqui mais três dias?

HUMMM, JANTAR!
As folhas do dente-de-leão são comestíveis e, supostamente, os gafanhotos são mais saborosos que outros insetos.

É, acho que vou ficar aqui no mato comendo insetos.

Não ACREDITO que ele leu meu diário. A gente estava começando a se dar bem. Ele é um idiota.

Coisas que eu poderia fazer:
1) Agir como se nada tivesse acontecido.
2) Falar pra eles que o diário foi uma brincadeira.
3) Tentar descobrir quanto o Eric-nojo leu.
4) Pegar um ônibus e voltar pra casa, pra nunca mais ter que olhar pra cara deles.

Ah, ótimo. Claro que as coisas iam piorar. A tia Má está vindo na minha direção.

:(

Tia Má: Posso conversar com você?
Eu: Glup. Pode.
Tia Má: Eu li seu diário.
Eu: Era o que eu temia.
Tia Má: Você tem muito talento, Ellie.
Eu: Ah, é?
Tia Má: Você tem a voz firme e é uma líder nata. É sério, as outras crianças se inspiram em você.
Eu: (surpresa, achei que eu ia levar uma bronca)
Tia Má: Você sabia que eu era artista quando tinha a sua idade?
Eu: Você era??

Acontece que a tia Má queria ser espiã e artista, mas os pais dela acharam que ela tinha que ser secretária e, depois, esposa e mãe. Então, ela desistiu dos sonhos dela.

Senti meu rosto ficando vermelho.
Não sabia o que dizer.

E depois ela disse:

— Sabe, ficar olhando você desenhar o fim de semana inteiro me deu vontade de voltar a ser artista.

Nossa.

Meu cérebro ficou em câmera lenta. A tia Maga? Artista? De jeito nenhum. Talvez uma artista toda deprimida, pintando a Reclamonalisa. O quadro O grito seria O cuspe. Rá!

Ellie, eu sei que está sendo difícil pra você ficar com a nossa família. Mas quero agradecer por você ser uma boa influência para a Cristal.
Hum.
Acho que, se você der uma chance para nós, você vai ver que não somos seus inimigos.
Talvez, você até descubra que temos algo em comum. Por exemplo, eu e você gostamos de desenhar. Falando nisso, talvez eu desenhe VOCÊ um dia.
Eu?
Claro. Os artistas só desenham coisas que são importantes pra eles.

Finalmente, eu criei coragem e perguntei:
Será que o Eric leu muita coisa do meu diário?

Provavelmente tudo. Ele lê rápido. Além disso, o assunto é bem interessante: ELE MESMO.

Então, ela soltou a bomba:

Ellie, acho que você precisa falar com o Eric. Você não pode ignorar algo tão importante por três dias, e não gostei nadinha de vocês dois terem brigado a semana inteira.

Então, ela saiu.
Até que a conversa começou bem. Só não fiquei muito feliz com o final dela.

Eu sou uma menina legal.
As pessoas gostam de mim na escola.
Eu não costumo ser grossa com os outros.
Eu não arranco as asinhas dos insetos,
não machuco criancinhas de propósito,
seguro a porta pras velhinhas.
Eu até peço desculpa pras cadeiras quando esbarro nelas!
Eu não roubo nada.
Eu não destruo nada.
Eu até tentei salvar a vida do Eric!
Eu sou normal.
ENTÃO POR QUE ME SINTO
TÃO CULPADA?

Veredicto: CULPADA!
Punição: Operação Desculpas

1. Comprar uma barra de chocolate na loja pra usar como isca.
2. Pedir desculpas ao Eric-nojo, o besouro-do--esterco (e é melhor ele se desculpar também).

Eric, desculpa por ter falado coisas feias de você no meu diário.
Cai fora. Quem liga?

Ai, como eu queria dar um soco na cara dele.

Tá legal, estratégia nova: apelar para o senso de lógica dele.

Olha só, seu preguiçoso, se eu fosse soltar os sapos, seria no último dia, pra você não poder capturar mais nenhum!

Falando nisso, você deveria me agradecer por ter salvado seu chapéu idiota!

Só pra você saber, é um FEDORA, não um chapéu. E VOCÊ deveria me agradecer por ter salvado VOCÊ, sua idiota!

É mesmo!

Então concordamos! Você é idiota!

Essa conversa não estava indo bem.

Ok, respire fundo.
Vou tentar de novo.

Eric-nojo, você podia parar de ser um pé no saco e me ouvir, só dessa vez? Eu estou sendo legal e você está agindo como se tivesse 3 anos de idade.

Ops. Acho que acertei um nervo.
Ele não aguentou.

Você se acha toda espertinha, espionando todos e agindo como se fosse melhor que a gente. Você é uma FRACASSADA, MENTIROSA e FEDORENTA.

Que beleza. A Operação Desculpas foi por água abaixo. E eu só consegui irritar ainda mais o Eric-javali.

Rá! A gente tem mais em comum do que eu imaginava.

ATÉ QUE ENFIM, um acordo.

A gente preparou um arsenal e uma estratégia: bolinhas de tinta invisível.

MÁQUINA AUTOMÁTICA DO ERIC PARA ARREMESSAR BOLINHAS FEITA COM UMA LAPISEIRA BARATA:

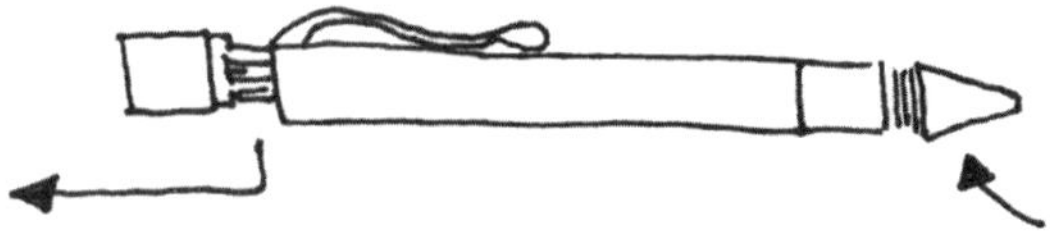

① Desrosqueie a ponta e jogue fora.

② Retire a parte da borracha até ela se soltar.

③ Quebre a ponta.

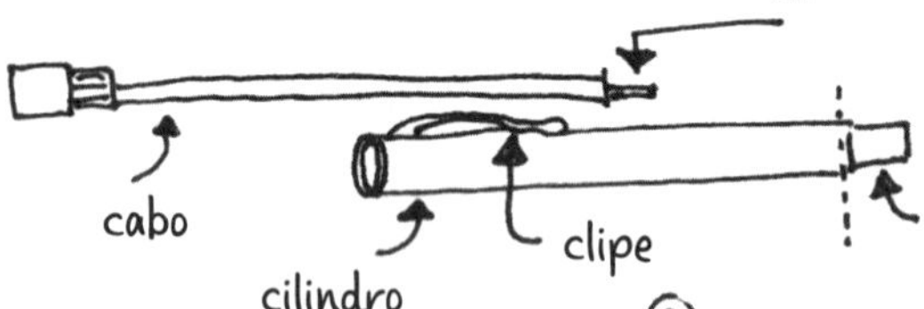

④ Quebre a ponta, para que o cilindro fique uniforme.

⑤ Enrole um elástico em volta da borracha.

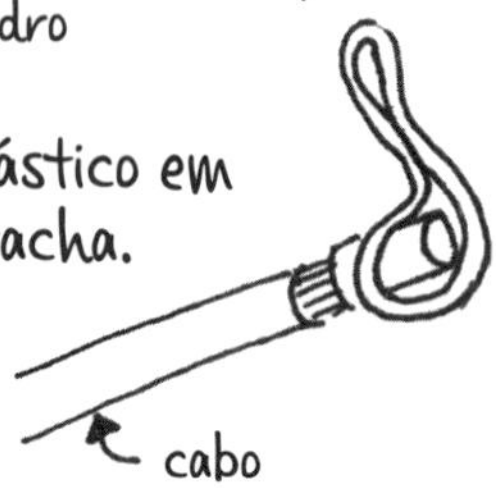

⑥ Coloque a borracha e o elástico de volta na lapiseira, e coloque de volta no cilindro.

⑦ Enrole outro elástico em volta do clipe e gire-o algumas vezes.

⑧ Para carregar:

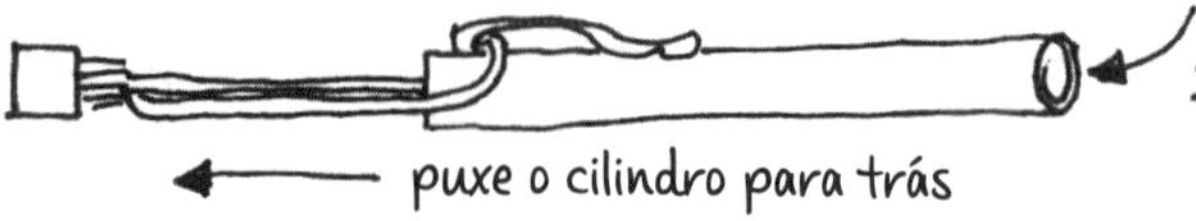

⑨ Solte a borracha. Ela vai voltar pra dentro da lapiseira e arremessar uma bolinha azul.

Eu achei melhor parar de desenhar o Eric com cara de monstro pra ver se a gente se acerta.

Nosso plano funcionou! Só tem um problema...

A Diana é a maior fofoqueira.

Eles disseram que:

- a gente é uma má influência para as outras crianças,
- a tinta invisível nem sempre fica invisível nas roupas,
- essa foi a brincadeira mais idiota que eles já viram,
- a gente vai ter que lavar a louça todo dia até o fim da viagem,
- não é mais permitido pregar peças,
- a gente não pode mais brigar ou reclamar e vamos ficar de castigo a viagem toda, e
- bolinhas de tinta são nojentas e podem ser perigosas, por isso, não serão toleradas.

Nossa. Hora do controle de danos.

Assim que eles terminaram de falar, eu levantei e repeti o que eles tinham acabado de falar (um truque antigo que aprendi com a Lisa e o Josh). Essa técnica sempre funciona. Eles perceberam que eu estava prestando atenção e pararam de dar sermão.

No jantar, a gente fez uma lista. Aquela ia ser nossa última noite no acampamento e a gente tinha que fazer alguma coisa bem legal.

- [ ] caçar ursos (de jeito nenhum. Eu posso até cantar a música do urso, mas não vou caçar coisa nenhuma)
- [ ] brincar de esconde-esconde sardinha
- [ ] caminhar pela natureza (sem os adultos)
- [ ] ir pra cama cedo

Valeu mesmo por essa sugestão, tia Maga!

- [ ] lavar a van

Outra sugestão ótima, cortesia do tio Ed. Acho que a gente devia fazer essa lista longe dos adultos...

- [ ] chamar todas as crianças do acampamento pra brincar de esconde-esconde

- [ ] pegar alguns sapos

Ahn, não.

- [ ] levar o Ben-Ben pro parquinho

Ter que cuidar do macaquinho? DE JEITO NENHUM.

A gente tinha que dar o fora LOGO.

ESCOLHENDO QUEM COMEÇA

Com todos em círculo, alguém canta a rima "Uni, duni, tê", enquanto aponta para o pé de cada pessoa do círculo. Quem for apontado na última sílaba está fora.

A rima deve ser repetida até que sobre apenas uma pessoa. Ela será a primeira a se esconder.

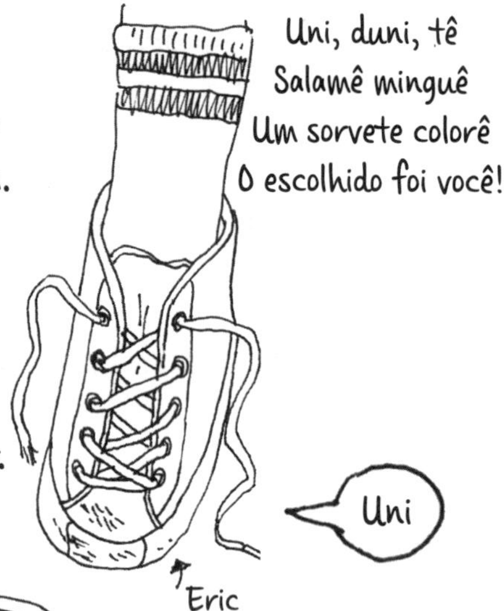

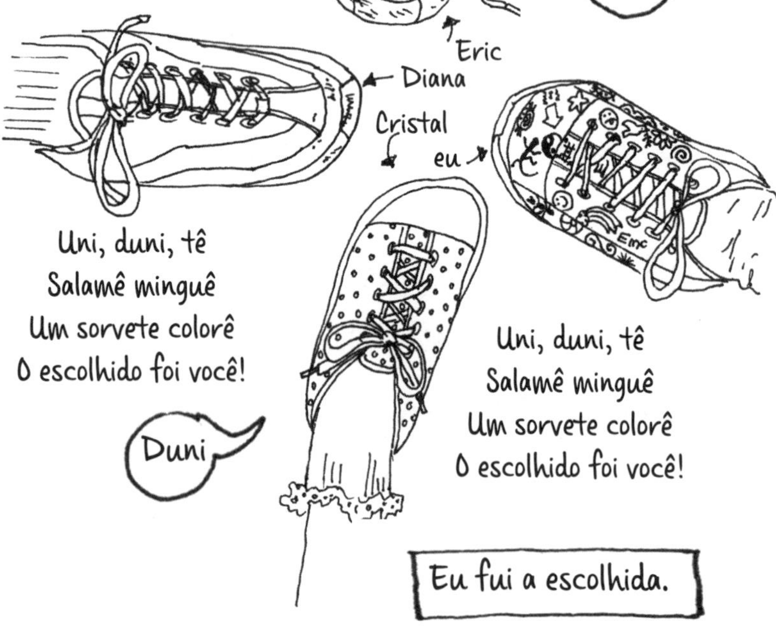

Eu fui a escolhida.

Brincamos de ESCONDE-ESCONDE SARDINHA.

Eu ADORO essa brincadeira. É o contrário de esconde-esconde.

Uma pessoa se esconde e todas as outras tentam encontrá-la.

Quem descobrir onde ela está tem que se esconder junto com ela.

Depois de um tempo, várias pessoas vão ficar em um lugar bem apertado (as sardinhas).

A última pessoa a achar o esconderijo perde a brincadeira, e o primeiro que achar a pessoa escondida se esconde na próxima rodada.

Esse é meu esconderijo preferido. Pena que o Eric sentou na cabeça da Cristal sem querer.

Decidimos caminhar pela floresta.
Nossa lista de coisas para levar:

O Eric queria ver um urso.
Eu não ligaria se fosse algo menos feroz.

Primeira missão do dia: achar um amuleto para dar sorte. ♣

Foi demais. Era como se a floresta fosse nossa. As árvores obedeciam às nossas ordens.

Um coelho!

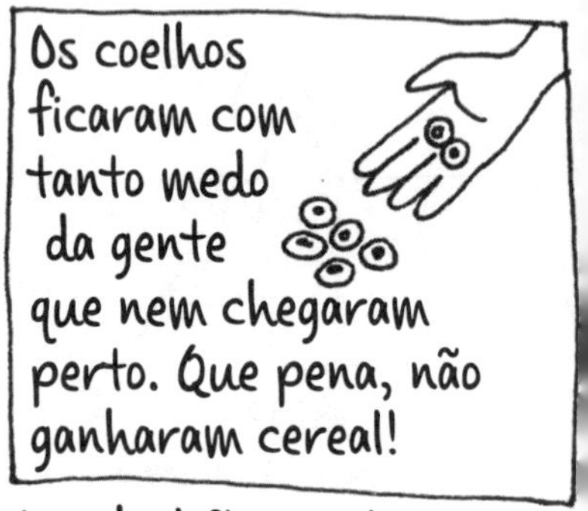

A Cristal estava colhendo dentes-de-leão pra tia Maga. A gente viu:

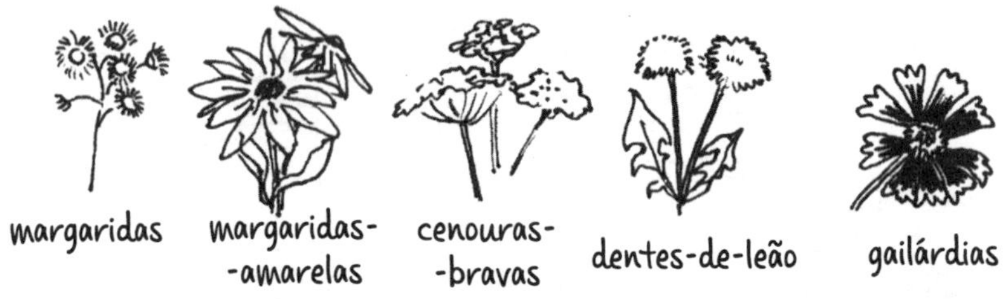

No caminho, a gente achou um galho deitado que parecia um banco. Era muito confortável!

Ele estava caçando insetos.
Morcegos não gostam de cereal.

A gente amarrou o topo das mudas e colocou um poncho por cima, pra fazer uma casinha.

Dava até pra MORAR ali!

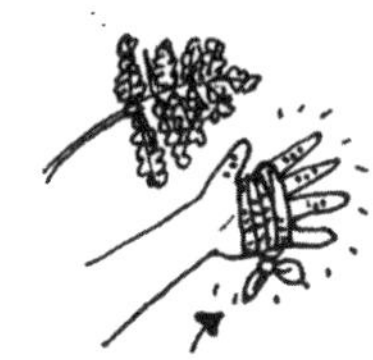

minha bandana

Más notícias: o galho da samambaia corta sua mão se você tentar arrancá-lo. A Cristal descobriu do pior jeito. AI! A água gelada da garrafinha dela foi bem útil.

Para animar a Cristal, a gente começou a cantar músicas de acampamento.
A Diana começou: brilha, brilha, estrelinha,
acho que estou perdidinha.
E eu continuei: eu não sei onde estamos,
pra cabana como vamos?
E o Eric estragou tudo: vamos logo, quero comer.
Mas que rima nada a ver.

Eu estava com fome e a gente já tinha comido todos os doces.

Tá bom. São pegadas de texugo. Parabéns, você conseguiu me fazer de boba, Diana.

A Cristal perguntou o que a gente faria se fosse um urso, e eu li uma parte do meu livro:

> "Ursos geralmente são perigosos quando estão com fome ou com seus filhotes. Se você encontrar um, deite-se encolhido no chão, protegendo seu pescoço. Finja-se de morto. Se um urso atacar você na sua barraca, ataque-o também. Mire nos olhos e no focinho."

Toma essa, Diana.

"E para um puma, é só fazer muito barulho e balançar a blusa para parecer maior. Enfrente-o de modo agressivo, mirando nos olhos e na boca. Proteja o pescoço e a garganta, porque é assim que eles matam suas presas."

Eric: Se aparecer um urso aqui, eu saio correndo.
Eu: O livro disse pra não correr! É impossível despistar um urso!
Eric: Eu não preciso despistar o urso. Eu só preciso despistar VOCÊ! Ha ha ha ha!
Eu: Grrrr.
Cristal: Estou com sede, e acabou a água.
Eu: É só morder a ponta da língua. Truque de escoteira.
Eric: É só colocar um cascalho limpo na boca. Truque de escoteiro.
Cristal: Qual dos dois eu faço?
Diana: Cascalho. Morder a língua dói. Dã!
Eu: Não! Tem que morder a língua. Mas FRACO, né? Dã!
Diana: Dois contra um. A gente venceu, né, Eric?

Diana: CADÊ o Eric?

Meu pai sempre diz que todos os caminhos levam a Roma. Espero que não, porque a gente quer ir pra CASA. Resolvi inventar uma música:

Estamos numa trilha cheia de perigo
e ela não tem fim, acredite, meu amigo.
Alguns foram andando sem o destino conhecer
e andam até hoje, vão vagar até MORRER.
Estamos numa trilha cheia de perigo
e ela não tem fim, acredite, meu amigo.
(várias vezes)

Humm. Acho que a gente devia ir atrás dele.

A gente gritou até ficar com dor de garganta. E a água tinha acabado.

Cadê ele?

Meu livro de sobrevivência não ajudava nessa situação. Admito que fiquei preocupada.

A bússola também era inútil.
Ela sempre aponta pra direção certa, mas a gente queria saber o caminho de volta pro acampamento.

← Uma bússola mais útil

O que podíamos fazer?
Não dava pra ir embora sem ele.

A mamãe e o papai vão matar a gente.

E se um urso o pegou?

Ou a Sally das Algas?

Eu estou com medo.

Se a gente algum dia encontrar o Eric, eu vou ser boazinha com ele.

Vocês acham que ele está morto?

Não sei.

:(Vamos continuar procurando.

Esta parte aconteceu rápido.

REGRAS:

1. Nada de se separar do grupo.
2. Nada de se machucar.

Legal.
O tornozelo dela começou a inchar mais ainda.

A gente revezava. A cada sete minutos, uma pessoa carregava a Cristal. Ela pesa 1 tonelada.

Minha vez de carregar a coitada de novo... vou ficar um tempinho sem escrever.

Eu estava com os braços e as costas doendo. Será que eu a carreguei só por sete minutos? Pareciam 100.

O relógio da Diana foi bem útil. Eu só consegui escrever no diário quando a gente parou, depois de carregá-la três vezes.

Começou a escurecer, e o egoísta do Eric queria que eu devolvesse a lanterna, que, na verdade, já estava quase sem bateria.

20h45:
Mais um problema: a gente viu um alce gigante e teve que sair da trilha pra se desviar dele. Ele estava mastigando alguma coisa. Talvez, a última vítima dele.

Depois disso, a gente não achou mais a trilha.

21h:

A Diana falou pra gente dormir na floresta.
Eu disse que era perigoso.
A gente começou a discutir o que era melhor.
Meus braços estavam doendo.
A Cristal começou a chorar.

21h20:

A gente não conseguia mais carregar a Cristal por sete minutos. Mudamos pra cinco minutos. A luz da lanterna já estava fraquinha. A Cristal colocou o buquê na garrafa d'água. Assim, ela não precisava carregá-lo. Ela é muito esperta.

Pai e mãe, eu amo vocês! ← caso a gente não consiga voltar

21h31:

Estava difícil andar e carregar a Cristal.
Umas teias de aranha enroscaram no meu rosto, que horror!
Às vezes, eu até sentia alguma coisa rastejando no meu pescoço, mas não podia coçar, porque eu estava com os braços ocupados com a Cristal.

Alguns galhos medonhos de árvores enroscaram na gente, e minha camiseta rasgou. Fiquei toda arranhada.

21h39:
A Diana e a Cristal começaram a gritar por socorro. De repente, um guarda podia ouvir. Ou, pelo menos, isso afastaria os ursos.

Eu estou com sede e dor nas pernas. A luz da lanterna está quase apagando.

Será que a gente vai morrer?

Se alguém achar este diário, saiba que a gente fez o que pôde. Deixo a minha coleção de livros para a minha melhor amiga, Amy.

Mais tarde, eu escrevi:

Enquanto eu carregava a Cristal, tive uma ideia: a gente ficou bem quieto pra ver se conseguia identificar os sons e cheiros. Isso podia ajudar a gente a descobrir onde estava, ou a sair da floresta. Então, a gente ouviu barulhos de corujas e insetos, e...

UHUUU! A gente ouviu sapos coaxando!

Então, seguimos o som e achamos A LAGOA!

Mas não parecia a lagoa que a gente conhecia, principalmente à noite.

Então, o Eric achou o símbolo que eu tinha deixado ali, feito com pedaços de pau.

Significava "O grupo veio em missão de paz". Eu coloquei ali como pedido de desculpas pelo sapo morto.

QUE ALÍVIO!!!

Da lagoa dos sapos, era mais fácil voltar pra cabana. Também dava pra ver melhor, porque não havia nenhuma árvore cobrindo a lua. A gente correu uma parte do caminho.

22h:

Quando chegamos ao acampamento, a tia Maga começou a chorar. O tio Ed parecia espantado (mais ou menos, nunca dá pra decifrar o que acontece com ele).
Os guardas pareciam felizes pelo menos.

Parecia que ela tinha acabado de andar num carrossel de ponta-cabeça.

Eu deixei a tia Maga e o tio Ed lerem meu diário (só as partes da aventura na floresta) e eles deixaram a gente ficar até tarde conversando perto da fogueira.

Depois de colocar gelo no tornozelo, creme pra queimaduras na mão e curativos nos cortes, a Cristal ia ficar bem.

No fim do dia, a gente já estava em segurança, quentinho e alimentado, e, pensando bem, até que a nossa última noite no acampamento foi divertida. A gente não parava de falar da nossa aventura.

A gente só conseguiu sair da floresta porque todos trabalharam juntos. Mas eu não estava com medo.

Ah, só um pouco, vai.

Não, fui eu.
Cristal! Aqueles sapos eram MEUS! Você não podia soltá-los!
Eu sei. É que achei que eles iam morrer na nossa casa.
Eu acho que você fez a coisa certa e foi muito corajosa.
É, mas agora a gente não tem bichinhos de estimação.

Eu dei uma ajudinha...

A HISTÓRIA DA SALAMANDRA

Eu contei pra eles sobre as duas salamandras da minha mãe e da tia Maga. Eu já tinha escutado essa história umas mil vezes.

Elas guardavam as salamandras num pote de picles.

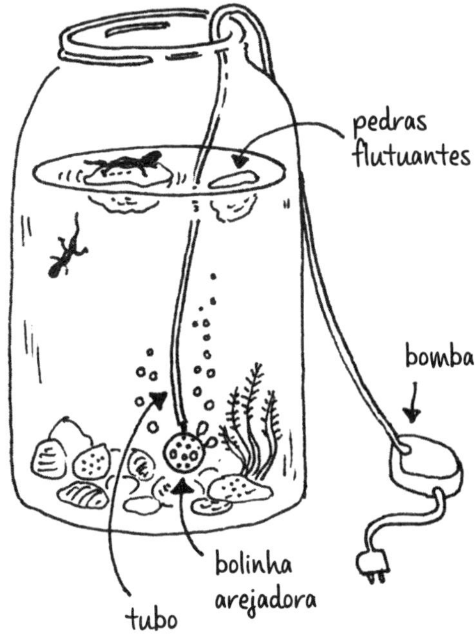

Um dia, elas viram que uma das salamandras estava muito gorda.

Isso porque a bolinha arejadora tinha se soltado do tubo, então o tubo começou a soltar bolhas enormes na água e a salamandra engoliu tudo.

Meu vô fez massagem nela com muito cuidado, e ela arrotou todo o ar pra fora.

A tia Maga começou a rir (isso é um bom sinal).

Sexto dia

Estava muito frio lá fora, o que facilitava aceitar que a viagem estava chegando ao fim.

Mesmo assim, eu não queria ir pra casa. Nossa! Nunca achei que fosse me sentir assim.

Engraçado. A noite passada foi tão triste, mas agora a gente dava risada do que aconteceu.

A gente tinha muita coisa pra guardar.

Carregar a van.
Limpar a cabana.
Pegar a estrada depois do almoço.

Adeus, Lago Higgins! Fiquei triste por ter que ir embora.

A gente entrou na van e fez a brincadeira do alfabeto.

Como brincar:

Na rua, cada pessoa procura uma coisa com a letra A, depois B, C...

A primeira pessoa que achar coisas com todas as letras do alfabeto ganha.

Não vale repetir: se alguém falar "placa", ninguém mais pode usar essa palavra.

Minha família sempre faz a Brincadeira do Alfabeto em longas viagens de carro, e eu sempre perco porque demoro muito pra ver as coisas. Mas com a família dos meus primos, acho que tenho chance!

Depois da brincadeira do alfabeto, fizemos o jogo das perguntas. Pra brincar, é só conversar normalmente, mas só com perguntas.

E assim foi...

A gente chegou à casa da tia Maga na hora do jantar (pizza, hum!) e já tirou as coisas da van.

A mamãe e o papai vão chegar amanhã ao meio-dia pra me buscar. Eu estou feliz (vou poder ligar pro Scott) e triste ao mesmo tempo. Parece que o Eric e a Diana viraram meus irmãos gêmeos.

Acho que vai ser legal passar um tem...

Aaaah!

BALÕES DE ÁGUA!

Então, é **GUERRA**! O Ben-Ben está jogando balões de água em mim. O Eric deve ter falado pra ele jogar! Rápido, preciso esconder o diário.

Escrevi isso depois...

O Eric e o Ben-Ben estavam com sacos cheios de balões de água (água GELADA) espionando a gente.

MAS A GENTE TINHA UM PLANO!

Primeiro, corremos pra dentro de casa. É claro que eles achavam que a gente estava falando mal deles. Mas, na verdade, a gente só queria tirar o diário da linha de fogo e encher os balões da Diana de água.

A gente pegou os meninos de surpresa.

As tampas das latas de lixo não foram muito úteis como escudo.

Mas o Ben-Ben, sorrateiro e destruidor, correu destemido pela linha de fogo e jogou água na gente. Depois, ele pegou a mangueira do jardim... Eu ri muito! Estávamos todos ensopados quando a tia Maga chamou a gente pra dentro.

Eu, a Diana e a Cristal dormimos na sala de estar. Parecia uma festa do pijama.

É. Isso não pareceu um elogio, mas tudo bem.

Boa noite. :)

(Tenho 24 picadas de pernilongo em um tornozelo.)

Sétimo dia

A tia Maga levou a gente pra uma papelaria.
EU ADORO PAPELARIAS!
Ela comprou tinta pra ela.
E cadernos de desenho!

Pra ela, pra Cristal, pro Eric e pra MIM.

Ela criou duas regras pro meu caderno de desenhos:

1. Eu tinha que me divertir com ele.
2. Se um dia eu tivesse algum problema, eu devia conversar sobre ele em vez de guardar pra mim mesma.

Acho que consigo lidar com isso.

Depois, fomos comprar salamandras pro Eric e pra Diana.

Elas são tããããão fofas!
(as salamandras, claro)

A gente voltou pra casa da tia Maga bem na hora...

Então, o que você aprendeu?

COISAS QUE APRENDI

1) As coisas nem sempre são o que parecem.
2) Não se pode julgar um livro pela capa, ou uma viagem pelo primeiro dia, ou o valor de um acampamento pelo fato de não ser em uma barraca.
3) O Eric não é tão chato, eu acho.
4) O meu irmão macaquinho é mais esperto e divertido do que eu pensava. Pensando bem, meus primos também são.
5) Se as coisas não estiverem dando certo, tenha calma. Tudo muda (assim como o tempo em Michigan).
6) Alces não comem carne, mas continuam sendo assustadores.
7) Carregar uma criança de 7 anos pela floresta dá um trabalho danado.
8) Espionar é legal, mas é bem provável que você vai ser descoberto.
9) Ninguém pode ficar isolado. Estamos todos no mesmo barco. É melhor tentar fazer amizade.
10) Comer insetos é um exagero.

A minha mãe disse que vou ter muitas surpresas no verão.

Uma coisa é certa: vou precisar de muitos cadernos de desenho!